remerciements/acknowledgements

L'auteur des photos adresse ses remerciements chaleureux à toutes celles et ceux qui ont permis que ce travail soit mené à bien.
Remerciements particuliers à Michel Labie, Marie-Christine Buffard et Caty Forget qui ont porté ce projet avec leurs équipes,
à Manuel et Christiane pour leur regard amical et sans concession,
à Bruno et Christine pour leur accueil et leurs conseils,
à Jean-Pierre, Lionel, Marie-Pierre, Marthe, Phil, Sylvain et Tony pour leur précieuse complicité,
Claire et Lola pour leur présence de tous les jours.

*The photographer warmly thanks all those who helped bring this project to life.
Special thanks go to Michel Labie, Marie-Christine Buffard, Caty Forget and their colleagues for their unfailing support.
Many thanks also to Manuel Valentin and Christiane Jaymes for their friendly yet rigorous second opinions;
to Bruno and Christine for their enthusiasm and patience;
to Jean-Pierre, Lionel, Marie-Pierre, Marthe, Phil, Sylvain and Tony for their assistance and loyalty;
and to Claire and Lola for being there!*

Photographies, concept et rédaction /*Photographs, concept and text*: Gil Corre
Conception graphique /*Design*: Marie-Pierre Barthe, avec le concours de /*with collaboration of* Vincent Portal
Supervision éditoriale /*Editorial superviser*: Christine Nilsson
Adaptation anglaise /*English adaptation*: Tony Hill Smith
Traductions anglaises /*English translations*: A.N. Other, Phil Wharton, Andrew Joscelyne

Les Chemins Solidaires

Pathways of Solidarity

Editions Harfang

Photos
Gil Corre

Les chemins solidaires

L'aventure a commencé, en décembre 2002, avec la rencontre de Muhammad Yunus dans ses bureaux de la Grameen Bank qui dominent les faubourgs de Dhaka, au Bangladesh. Le Professeur Yunus est l'inventeur du micro-crédit, ce système de prêts à faible montant qui permet aux plus démunis de démarrer une activité à même de les sortir de la misère. L'idée naît alors de retracer, à travers une série de films documentaires, les actions de femmes et d'hommes remarquables en faveur d'un monde plus solidaire. Des actions qui conjuguent démarche sociale et démarche de santé.
Les photos ont été prises parallèlement aux tournages. Elles constituent des sortes d'arrêts sur image sur les multiples expressions de la formidable énergie des habitants de tous ces pays dits «en développement», en lutte contre les destins difficiles que leur ont conférés leur position géographique ou leur histoire. En comparaison, notre morosité d'occidentaux peut paraître bien dérisoire pour ne pas dire révoltante. Arrêt sur image sur le visage de cette adolescente de 16 ans, au dispensaire pour jeunes sidéens d'Ho Chi Minh Ville. Elle sait qu'elle va mourir parce qu'elle n'a pas accès à la trithérapie mais elle s'essaie quand même à sourire sinon sa famille sera encore plus triste. Elle s'appelle Phuong, ce qui veut dire «Flamboyant».

Pathways of Solidarity

The adventure began in December 2002 when we met Muhammad Yunus in the offices of his Grameen Bank overlooking the suburbs of Dhaka in Bangladesh. Professor Yunus is the inventor of microcredit, a system of small loans to help the least advantaged start a business and escape from poverty. The idea was born of making a series of documentary films about the work of exceptional women and men who are marking out pathways of solidarity for a fairer world. Work that combines welfare and health care.
These photographs were taken during the filming. They are snapshots, as it were, of the many ways in which the amazing energy of the people living in 'developing' countries finds expression, as they fight against the fate to which they have been consigned by geography or history. Compared with them, our Western cheerlessness may appear ridiculous or even revolting. Take the snapshot of a girl of sixteen at the AIDS dispensary in Ho Chi Minh City. She knows she will die because she has no access to anti-retroviral treatment, but still forces a smile so her family will not be even sadder than they are. Her name is Phuong, which means 'Flamboyant Tree'.

Gil Corre
Réalisateur et photographe
Filmmaker and photographer

Sommaire/Contents

Bien qu'aucune illustration du travail de Handicap International ne figure dans cet ouvrage, pour des raisons de calendrier, l'invitation à proposer une lettre ouverte introductive est un privilège. Car chacune des photos évoque des peuples, des situations et des caractères qui nous sont si familiers...

Aussi, pour participer au «cheminement solidaire» ainsi proposé, il m'est revenu un souvenir d'Afrique, un souvenir très fort, initiatique. J'étais alors tout jeune médecin, en Ethiopie, lorsque j'ai rendu visite à un groupe de religieuses italiennes, en habit et cornette malgré la chaleur, œuvrant avec le sourire dans un univers de mouches, une indigence indicible où l'analphabétisme était la règle. Au milieu de nulle part, elles faisaient pourtant vivre un hôpital rural, oasis de propreté, d'hygiène et d'espérance. J'ai pris conscience alors, douloureusement, des contradictions, parfois même du conflit entre une conception moderne de la santé publique et des pratiques que mes professeurs qualifieraient d'obscurantistes. A deux reprises, le chef infirmier, dévoué et bien formé avait tourné le dos aux préceptes médicaux de ces femmes étonnantes. D'abord en acceptant l'excision de sa fille, tandis qu'il prônait chaque jour l'abandon de cette odieuse pratique ; ensuite, quand son petit garçon fut victime d'une diarrhée très sévère. Selon une croyance locale, ces diarrhées sont dues à des vers qui cheminent sous les gencives, que l'on extirpe avec un petit couteau en demi-lune !... Si l'enfant meurt d'hémorragie ou d'infection, c'est que le traitement a été trop tardif ; s'il survit, en fait grâce aux effets bénéfiques d'une diète forcée, c'est que le traitement a été efficace. Implacable logique ! Que le chef infirmier ait accepté de soumettre ses propres enfants à des rituels aussi contradictoires avec ce qu'il professait chaque jour a brutalement mis à l'épreuve mes certitudes... Leçon d'humilité sur l'efficacité relative de ce que l'on entreprend, et découverte troublante de la puissance des croyances ancestrales dont il faut savoir tenir compte.

La persuasion seule et l'exemplarité du geste ne peuvent suffire, ni résister à l'épreuve de croyances souvent bénéfiques, profondément enracinées dans la structure sociale, depuis la nuit des temps. Ces petites sœurs m'ont appris qu'il fallait accepter l'échec et les reculs sans colère, prendre en compte l'étrangeté des contraintes sans les juger, mais surtout ne pas renoncer à combler un fossé d'incompréhension et accepter que le changement ne peut s'inscrire que dans un profond cheminement culturel. Enfin, elles m'ont offert une clé de compréhension irremplaçable : le sens de la tolérance, si difficile à mettre en pratique lorsqu'il est question de santé publique, de vie et de mort... Le plus extraordinaire à mes yeux, c'est qu'elles se remettaient en cause elles-mêmes, cherchaient des explications et voulaient à tout prix préserver cet homme malheureux d'avoir signé leur échec, et continuaient à le respecter.

Cette expérience, emblématique de la complexité de l'équation de toute action de solidarité, m'a enseigné l'impossible réussite sans les composantes d'une alliance durable. Une conviction fondatrice des pratiques de l'association aujourd'hui, dans près de soixante pays. Chacun de nous se retrouve dans le regard de cet ouvrage, qui resitue les enjeux de fraternité au bon niveau, à hauteur d'homme.

Jean-Baptiste Richardier

Co-fondateur et Directeur de Handicap International, ONG Co-Prix Nobel de la Paix, 1997

Although timing prevented the inclusion in this book of any photographs of Handicap International's work, it was a privilege to be invited to write this introductory open letter. Every one of these photographs evokes peoples, situations and features that we are so familiar with.
When I was asked to contribute to these 'pathways of solidarity', a memory came back to me of Africa, the memory of an unforgettable initiation. When I was a recently qualified doctor, I visited a group of Italian nuns in Ethiopia, dressed in starched albs and coifs despite the heat, smiling as they worked in a fly-ridden pit of indescribable poverty, where illiteracy was the rule. Here in the middle of nowhere, they managed to run a rural hospital, an oasis of cleanliness, hygiene and hope. I then realised, painfully, the contradictions, indeed conflicts, there are between a modern conception of public health and certain practices my professors would have called obscurantist. On two occasions, the chief nurse, a devoted, well-trained man, turned his back on the medical precepts of his astonishing female colleagues. First, by agreeing to his daughter being excised, while at work he argued that this odious practice should be abandoned; and then when his little boy came down with severe diarrhoea. According to local beliefs, diarrhoea of this type is due to worms under the gums, to be extracted with a curved knife! If the child dies of bleeding or infection, the treatment must have been applied too late; if they survive, in practice as a result of forced fasting, it means the treatment was effective! Unassailable logic! For the chief nurse to have agreed to subject his own children to rituals in total contradiction with what he professed every day was a brutal attack on my certainties. A lesson in humility concerning the relative effectiveness of what we try to do, and a disturbing discovery of the power of ancestral beliefs that must be taken into account.
Persuasion and good examples alone are not enough, nor is there any point in overriding possibly beneficial beliefs that are deeply rooted in a social structure that dates from time immemorial. Those nuns taught me that one must accept failure and retreat without anger, allow for the strange nature of constraints without judging them, and, not least, persevere in narrowing the gap of incomprehension and accept that change can only come about as part of a deep cultural shift. They also gave me an irreplaceable key to understanding: a sense of tolerance, so hard to practise in matters of public health, life and death. The most extraordinary fact in my eyes was that the nuns subjected their own views to doubt, sought for explanations and wanted at all costs to preserve this unhappy man from being evidence of their failure, and continued to respect him.
This illustrative experience of the complexity of the equation involved in any act of solidarity taught me that success is impossible unless it is based on the components of a sustainable alliance. A fundamental conviction behind the practice of our charity, which now operates in nearly sixty countries. Each one of us recognises themselves in the view presented in this book, which places the issue of fraternity where it deserves to be, within each human being's reach.

Jean-Baptiste Richardier
Co-founder and Director of Handicap International, NGO Co-Nobel Peace Prize for 1997

Effigie de Nelson Mandela en boxeur, Johannesburg /*Nelson Mandela as a boxer, Johannesburg*

Vent debout contre la pauvreté
Standing tall against poverty

Nul d'entre nous ne pourra réellement aspirer au repos tant que la pauvreté, l'injustice et les inégalités continueront de sévir sur cette Terre. Nous n'oublierons jamais les millions de gens qui, à travers le monde, se sont joints à notre combat contre l'injustice et l'oppression alors que nous étions emprisonnés. Ces efforts ont payé, jusqu'à nous permettre aujourd'hui d'être des hommes debout, capables de rejoindre tous ceux qui, partout dans le monde, luttent pour s'affranchir de la pauvreté. La misère de masse et les inégalités obscènes constituent des fléaux si terribles de notre époque, une époque où la planète se glorifie d'avancées époustouflantes dans les domaines de la science, de l'industrie et de l'accumulation des richesses.

Nous vivons dans un monde où la connaissance et l'information ont progressé à pas de géants, alors même que des millions d'enfants n'ont pas accès à l'école. Nous vivons dans un monde où la pandémie de sida menace le fondement même de nos vies. Et nous continuons à dépenser bien plus d'argent dans l'achat des armes que dans le traitement et le soutien aux millions d'hommes et de femmes infectés par le HIV. Nous vivons dans un monde de grandes promesses et d'espoir. Mais c'est aussi un monde de désespoir et de maladie, un monde où l'on a faim. Lutter contre la pauvreté n'est pas une posture de charité. C'est un acte de justice. Tant que perdurera la pauvreté, il n'y aura pas de liberté véritable. Le chemin à suivre pour les nations développées est clairement tracé.

As long as poverty, injustice and gross inequality persist in our world, none of us can truly rest. We shall never forget how millions of people around the world joined us in solidarity to fight the injustice of our oppression while we were incarcerated. Those efforts paid off and we are able to stand here and join the millions around the world in support of freedom against poverty. Massive poverty and obscene inequality are such terrible scourges of our times - times in which the world boasts breathtaking advances in science, technology, industry and wealth accumulation. We live in a world where knowledge and information have made enormous strides, yet millions of children are not in school. We live in a world where the Aids pandemic threatens the very fabric of our lives. Yet we spend more money on weapons than on ensuring treatment and support for the millions infected by HIV. It is a world of great promise and hope. It is also a world of despair, disease and hunger. Overcoming poverty is not a gesture of charity. It is an act of justice. It is the protection of a fundamental human right, the right to dignity and a decent life. While poverty persists, there is no true freedom. The steps that are needed from the developed nations are clear.

Nelson Mandela
Ancien Président de l'Afrique du Sud, Prix Nobel de la Paix, 1993
Former President of South Africa, Nobel Peace Prize for 1993

Squatter camp près de Soweto, Johannesburg /*Squatter camp, near Soweto, Johannesburg*

Mapule Pule

A l'époque de l'apartheid, les gens, ici, étaient forcés de porter en permanence un pass pour tous leurs déplacements. Pour protester contre ça, un jour ils ont organisé une marche en direction du poste de police et la police s'est mise à tirer. Soixante-huit personnes massacrées… Aujourd'hui, c'est un pays démocratique, les gens peuvent circuler où ils veulent, ils sont libres ! Mais il reste que ce n'est pas facile à cause de la pauvreté. Beaucoup sont sans travail et doivent vivre dans des bidonvilles surpeuplés, ce genre d'endroits où sévit la tuberculose.

During Apartheid, people had to carry special passes on them at all times called dompasses… One day, they marched to the police station, to protest against it. And the police started shooting them. 68 people died. Today, it's a democratic country, people can go everywhere they want to, people are free! But it's not easy, because of poverty. Most of the people have no wxork and live in overcrowded squatter camps infected by Tuberculosis.

”

Dots Supporter, Projet TB Free
Dots Supporter, TB Free Project

Monument et fresque commémoratives du massacre de Sharpeville /*Monument and fresco commemorating the Sharpeville massacre*

Squatter camp à Kimberley, la capitale sud-africaine du diamant /*Squatter camp in Kimberley, capital of South Africa's diamond industry*

Paula Makatesi

On estime qu'un sud-africain sur cinq a le HIV et 70% des patients tuberculeux sont aussi atteints du HIV. Ce qui se passe aujourd'hui, c'est que lorsque quelqu'un est diagnostiqué tuberculeux, il ne veut pas que les autres l'apprennent de peur qu'on pense aussitôt qu'il a le sida. On travaille très dur pour essayer de briser cette stigmatisation.

In South Africa, it would be one in five individuals also have HIV and up to 70% of TB patients also have HIV infection… You find that when somebody is diagnosed with TB, they don't want others to know that they have got TB because the others might think they have got Aids as well or HIV as well. We are working very hard to try and break that stigma.

Présidente de TB Free
TB Free CEO

Squatter camp à Kimberley /*Squatter camp, Kimberley*

Squatter camp à Kimberley /*Squatter camp, Kimberley*

Amanda Bostander

Un jour, à 3 heures du matin, j'ai commencé à tousser et tout d'un coup un jet de sang a jailli de ma bouche, je crachais du sang ! Et là, j'ai dit à mon mari : «Prie, je suis en train de mourir !» Alors, j'ai décidé de me battre pour me soigner et soigner les autres. Je suis devenue une DOTS supporter. Chaque matin, vous allez chez un autre malade vous assurer qu'il prend bien ses comprimés. C'est la méthode DOTS : observation directe du traitement... Maintenant je travaille pour ma communauté, pour lutter contre l'ignorance...

One day, at 3 o'clock in the morning, I started to cough, and suddenly, it was like blood just coming out of my mouth, I was coughing up blood! I said to my husband : "Pray! I'm dying now!". So I decided to fight to care for myself as well as the others. I became a DOTS supporter. You go to another patient every morning and you make sure that they take their tablets. DOTS means Direct Observed Treatment...
Now, I'm working for my community to fight against ignorance.

”

Dots Supporter, Projet TB Free
Dots Supporter, TB Free Project

Amanda assiste sa vieille voisine dans son traitement anti-tuberculeux, Kimberley /*Amanda helping old neighbour with her anti-tuberculosis treatment, Kimberley*

Le quartier des médecins traditionnels, Johannesburg /*Traditional doctors' district, Johannesburg*

Danse zoulou, Soweto /*Zulu dance, Soweto*

Reuben Mawela

“

Avec le grand Nelson Mandela, l'Afrique du Sud a été capable, collectivement, de vaincre le mal de l'apartheid. Si nous pouvions insuffler, contre le HIV et la tuberculose, cette force qu'on a démontré en tant que peuple et nation et travailler tous ensemble, alors ces deux maladies seraient une affaire pliée !

With the great Nelson Mandela, the South African nation was able to cure the country from the evil of Apartheid. If we could introduce the same spirit, the same strength we demonstrated as a nation and as a people to fight HIV and TB and work together, then those 'evils' would also be a thing of the past!

”

TB Free Manager
TB Free Manager

Journée nationale de mobilisation contre le sida et la tuberculose, Komatipoort /*National Day against AIDS and tuberculosis, Komatipoort*

KGOHLOLA?
Matshwao a mang ke: • mahlaba ka sefubeng • mokgathala/ho kgwehla • ho se lakatse dijo • ho fokola mmeleng • ho fufulelwa bosiu • ho kgohlela madi
Get checked by a health worker – it could be TB
High quality TB treatment is FREE at government clinics and hospitals
TB can be cured!
Khomanani
Caring together
Ask for your free pamphlet on TB here
ONE HEART
BOKSBURG
CIRCUIT

Sur un chemin de montagne, Province de Samlot /*Mountain road, Samlot Province*

Jouer en Paix
Playing in Peace

Un réfugié sur deux est un enfant. Depuis 1982, nos équipes ont installé, pour des centaines de milliers d'enfants réfugiés, au Cambodge et tant d'autres pays, des «centres d'animation» où les enfants sont invités à jouer. Parce qu'un enfant réfugié est d'abord et toujours un enfant et parce qu'un enfant qui ne joue plus est un enfant qui meurt. Au cœur de notre action, nous avons placé le jeu, le jeu comme une fin en soi, comme un outil privilégié pour atténuer les souffrances et contribuer au mieux-être de l'enfant réfugié, en levant sa peur. Le jeu comme un moyen de survie ou de revivre, de retrouver la joie de vivre. Et surtout, le jeu comme un droit.
Le territoire de l'exil est toujours un espace d'exclusion du monde, délimité par des frontières que les millions de réfugiés, sur tous les continents, ne sont plus autorisés à franchir. Nous ne pouvons abolir les frontières injustes et absurdes qui fissurent les peuples mais nous devons, chaque fois que cela est possible, traverser la ligne de démarcation pour témoigner, par notre présence et nos actes, de notre solidarité envers les réfugiés. Et puisqu'il s'agit de lutter contre l'injustice, la solidarité se doit d'être un «plaidoyer» lancé en direction de tout un réseau qu'il faut obstinément tisser avec la société civile, des institutions publiques, des organismes internationaux d'aide, des bailleurs privés, des mécènes… La solidarité c'est aussi cette volonté et cette capacité d'établir une alliance avec la communauté et de développer des pratiques de réciprocité et d'échange, comme avec Puthi Komar, notre partenaire local au Cambodge. Car la solidarité internationale, c'est bien un apprentissage et une découverte de l'autre.
La solidarité, pour moi, c'est ce lien, ce regard et ces actes qui donnent un sens à la vie.

One refugee in two is a child. Since 1982, our teams have set up 'play centres' for hundreds of thousands of refugee children in Cambodia and a host of other countries. Because a child refugee is first and foremost a child and a child who does not play is a child who is dying. The focus of our action is play, play as an end in itself, a valuable tool for attenuating suffering and contributing to refugee children's well-being by removing their fear. Play as a way of surviving or reviving, of rediscovering joie de vivre. Not least, play as a right.
The lands of exile are always places where people are excluded from the rest of the world, marked out by frontiers that millions of refugees on every continent are not allowed to cross. We cannot abolish the unjust and absurd frontiers that divide peoples, but we must whenever possible cross these lines to demonstrate by our presence and our action our solidarity with the refugees. And since the point is to fight against injustice, solidarity is bound to mean 'advocacy': persistently weaving the links between civil society, public institutions, international aid bodies, private donors and sponsors. Solidarity also means generating the will-power and the capacity to develop a real alliance with the local community, to instigate methods and practices of exchange and reciprocity. This is what our partner in Cambodia Puthi Komar has done. Because International Solidarity has to be learned and this 'education' can only come from learning to understand Others.
Solidarity, as I see it, is this relationship, this look and these acts that give a sense to life.

Nicole Dagnino
Co-fondatrice et Ex Déléguée Générale d'Enfants Réfugiés du Monde
Co-founder and former Delegate General of Refugee Children of the World

Au centre d'animation E.R.M.de Sovann Kiri, Province de Samlot /*Sovann Kiri E.R.M. play centre, Samlot Province*

Au centre d'animation E.R.M. de Chamkar Samrong, Battambang /*Chamkar Samrong E.R.M. play centre, Battambang*

Pich Saroeun

Les enfants d'aujourd'hui ont bien plus de chance que moi ! Moi, je n'ai connu que la guerre... On n'avait pas l'occasion de jouer. A la fin du régime de Pol Pot, j'avais 8 ans, l'âge de mon fils aujourd'hui. Dix ans plus tard, en 1991, il m'a fallu suivre la résistance anti-vietnamienne dans sa guérilla à l'intérieur du Cambodge et c'est là que j'ai sauté sur une mine.

Today's children are a lot luckier than I was! All I knew was war! We didn't have a chance to play! At the end of the Pol Pot regime, I was 8 years old, my son's age. Ten years later, in 1991, I was forced to join the anti-Vietnamese guerrillas operating inside Cambodia and that's where I was blown up by a mine.

Directeur du centre E.R.M. de Chamkar Samrong à Battambang
Director of Chamkar Samrong E.R.M. Centre in Battambang

Au centre d'animation E.R.M. de Chamkar Samrong, Battambang /*Chamkar Samrong E.R.M. play centre, Battambang*

Le camp de réfugiés de Chamkar Samrong, Battambang /*Chamkar Samrong refugee camp, Battambang*

Au centre d'animation E.R.M. de Chamkar Samrong, Battambang /*Chamkar Samrong E.R.M. play centre, Battambang*

Psahr Nat, le marché central de Battambang /*Psahr Nat, the central market, Battambang*

Sur les routes du tsunami
In the wake of the tsunami

Seul, on ne peut pas s'en sortir. La solidarité c'est cette prise de conscience que nous sommes tous encordés, comme ces alpinistes qui s'accrochent les uns aux autres pour partir à l'assaut des sommets. La solidarité, pour moi, cela signifie que nous sommes tous unis dans la famille de l'homme, que nous sommes tous des frères et des sœurs responsables les uns des autres... Il ne faut jamais dire : «Vous et nous». Il faut dire «Nous». A des lépreux, on ne dit pas : «Vous, lépreux...», on dit «Nous», toujours «Nous», c'est important. Dans les bidonvilles, les gens ne sont pas des mendiants mais des pauvres que nous nous efforçons d'aider par des projets éducatifs, médicaux ou alimentaires, pour qu'ils retrouvent leur dignité. Il ne s'agit pas seulement de leur faire connaître les droits de l'homme mais, plus fondamentalement, leur droit d'être reconnu en tant qu'homme. Il faut prendre soin de chaque homme et vivre jusqu'au bout cette aventure de la vie qui est une lutte de tendresse et de justice. Le drame du tsunami a montré un bel exemple de cette fraternité possible. Il a suscité une grande émotion qui a permis ces donations extraordinaires... Cette solidarité n'est pas partie des Etats, elle est partie du cœur et de la conscience de chacun. L'enjeu est grand mais il faut rêver des rêves impossibles, comme l'Homme de la Mancha !

Alone, no one can cope. Solidarity means the awareness that we are all tied together like mountaineers roped up as they climb to the peak. Solidarity, as I see it, means that we are all united in the human family, we are all brothers and sisters and keepers of each other. Never say "you and us", but always "us"; this is important. In the shanty towns the people are not beggars but poor people we try to help with educational, medical and nutritional projects to regain their dignity. The point is not just to tell them about human rights, but more basically to show them that they have the right to be recognised as human beings. We must take care of each person and live together in this adventure of life, which is a struggle for affection and justice. The tsunami disaster gave us a fine example of what brotherhood is possible. It aroused a wave of emotion and an extraordinary volume of donations. This solidarity came not from governments but from the heart and soul of individuals. The challenge is a great one, but we must dream the impossible dream, just like the Man of La Mancha.

Le Père Ceyrac /*Father Ceyrac*
Fondateur de l'Association Père Ceyrac
Founder of Father Ceyrac Association

Nagappatinam, Inde du Sud, six mois après le tsunami */Nagappatinam, southern India, six months after the tsunami*

Après le tsunami, Nagappatinam, Inde du Sud /*After the tsunami, Nagappatinam, southern India*

Dans les rues de Cuddalore, Inde du Sud /*Cuddalore streets, southern India*

P. Uthandi

Tout le monde était sur la plage. On venait juste de rentrer de la pêche. On a vu arriver une vague très haute et très forte et on s'est tous mis à courir. Après la première vague, l'eau s'est retirée sur 1 km. On ne voyait plus que le sable. Un gamin a couru ramasser un gros poisson échoué sur le sable et là, la deuxième vague est arrivée. Elle était encore bien plus haute et plus forte que la première.

Everyone was on the beach. We had just come back from fishing. We saw a very high wave coming, very strong, and we all started running. After the first wave, the water withdrew about 1 km from the shore. All you could see was sand. A kid ran to pick up a big fish lying on the sand. And then the second wave came. It was a lot bigger and stronger than the first.

Pêcheur à Peryakuppam
Fisherman from Peryakuppam

Nagappatinam, Inde du Sud /*Nagappatinam, southern India*

ஸ்ரீ சப்த கன்னியம்மன் ஆலயங்கள்
சித்திரை மாதம் 23-ம்தேதி (6-5-05) வெள்ளிக்கிழமை
காலை மணி 9 க்குமேல் 10-30 க்குள்
மஹா கும்பாபிஷேகம்
நடைபெறும்
A.G.இராமச்சந்திரன் - R.மலர்க்கொடி
நையாண்டி மேளம், கரகாட்டம்
வெஸ்டன் நியூ பாய்ஸ்
சத்தியவான் சாவித்திரி
லவ-குசா
வேங்கைகளின்
எங்கள் முதலாளி
இல்லத்திருமணவிழா
நாள்:22.5.05
ஆனந்தகுமார்
மணமார வாழ்த்தும்
A.பாஸ்கர்
M.பன்னீர்
காவில் எதிரில்
போன்:221272.
கூடாரப்
2005 மே 5,6,7,8

Sur la plage de Vailankanni, Inde du Sud */On the beach at Vailankanni, southern India*

Marina Beach, Chennai /*Marina Beach, Chennai*

Pélerins catholiques à Vailankanni, six mois après le tsunami /*Catholic pilgrims at Vailankanni, six months after the tsunami*

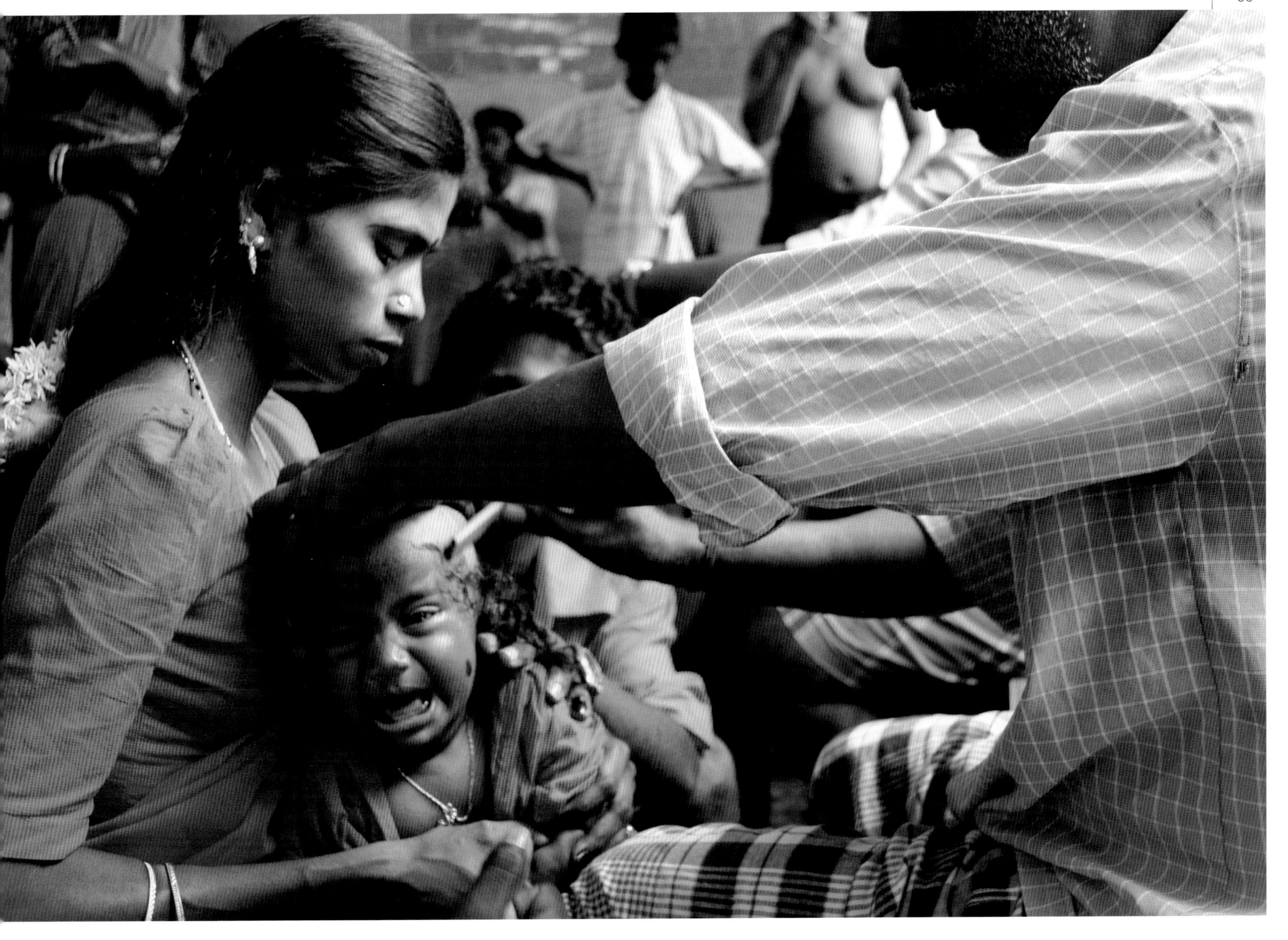

La vie après le tsunami à Peryakuppam, Inde du Sud /*Life after the tsunami at Peryakuppam, southern India*

Krishnamal

Après le tsunami, les Dalits n'avaient plus de travail et beaucoup mouraient pratiquement de faim. Ce sont les Intouchables, les pauvres gens sans terre. Chaque jour, ils doivent se présenter chez le propriétaire, attendre qu'on leur propose du travail. Et toute la journée, ils travaillent la terre. On leur donne un peu d'argent, mais ce n'est pas un salaire fixe. Ils dépendent totalement du bon vouloir du propriétaire.

After tsunami, the Dalits didn't have any work. So, a lot of people were practically starving. They are the Untouchables, the landless poor people. Every day, they have to go to the landlord's house and wait for a job offer. Then, all day, they will work on the land. They do get paid but it's not fixed wages. It depends on the mood of the landlord ...

Présidente de Lafti, ONG de défense des Dalits (les Intouchables)
Chairwoman of Lafti NGO for the defence of Dalits (the caste of Untouchables)

Dalits dans les rizières, Inde du Sud /*Dalits in rice fields, southern India*

La vie après le tsunami à Nanjalingampettai, Inde du Sud /*Life after the tsunami at Nanjalingampettai, southern India*

La vie après le tsunami à Peryakuppam, Inde du Sud /*Life after the tsunami at Peryakuppam, southern India*

Père Ceyrac
Father Ceyrac

"

Nous sommes tous bien d'accord que c'est la femme qui est au centre de l'Inde comme dans beaucoup de pays d'Asie. C'est la femme qui va sauver notre pays. C'est la femme qui représente le travail. Le sens du sacrifice, le sens de la culture, de la tradition. Et la beauté des femmes, en plus !

We all know that's it the women who are the real movers in India as in so many Asian countries. Women will save our country. Women represent the work ethic. Just look at their sense of sacrifice, of culture and tradition! And the beauty of the women, as well!

"

Fondateur de l'Association Père Ceyrac
Founder of Father Ceyrac Association

Marina Beach, Chennai /*Marina Beach, Chennai*

Marina Beach, Chennai /*Marina Beach, Chennai*

Marina Beach, Chennai /*Marina Beach, Chennai*

Le marché de rue à Marina Beach, Chennai /*Street market at Marina Beach, Chennai*

Pilishiya Nimali De Silva

Dès que les enfants entendent la mer un peu fort, ils disent : «Ca y est, la vague revient !»

Whenever the children hear a rough or heavy sea, they say: "That's the wave again!" ”

Une habitante de Kalamulla, District de Galle
A woman in Kalamulla, Galle District

Kalamulla, District de Galle /*Kalamulla, Galle District*

Après le tsunami, au Sud de Colombo /*After the tsunami, south of Colombo*

Bandarawela Sudhamma Thero

Donner de la nourriture au corps, c'est apporter la paix dans les esprits. Comme ces gens–là avaient tout perdu, la priorité absolue c'était de leur apporter la paix intérieure. Ils avaient la vie sauve, c'était ça le plus important. Parce que tout le reste, on peut l'acquérir avec le temps.

Feeding the body, brings peace to the mind. As these people had lost everything, the main priority was to bring them an inner peace. They were alive, that was the most important thing. Everything else will heal with time.

”

Moine bouddhiste, Temple de Kovilgudella, banlieue de Colombo
Buddhist monk, Khovilgudella Temple, outskirts of Colombo

Construction d'un village de réfugiés à Banadaragama, Sud de Colombo /*Building a refugee village at Banadaragama, south of Colombo*

La plage à Kalutara, au Sud de Colombo /*Kalutara beach, south of Colombo*

Shivangi Chavda

Après le tsunami, comme il n'y avait plus de possibilité de revenu, les gens ont travaillé comme manœuvres pour construire des abris temporaires, payés par les ONG sur la base d'un salaire journalier.

After the tsunami, there was simply no more paid work, so people here came as labours building temporary shelters and being paid by the NGOs on a day-to-day basis.

Coordinatrice à l'ONG Seeds
Seeds NGO coordinator

Le quartier des pêcheurs à Port Blair /*Fishermen's district, Port Blair*

Construction d'un village de réfugiés à Hut Bay, Little Andaman /*Building a refugee village in Hut Bay, Little Andaman*

Construction d'un village de réfugiés à Hut Bay, Little Andaman /*Building a refugee village in Hut Bay, Little Andaman*

Raweewan Yingvansiri

Nous, les asiatiques, nous croyons tous aux fantômes et les gens ont très peur qu'il en rôde encore par ici.

We Asians all believe in ghosts, so people here are afraid there are still many around.

Croix Rouge Thailandaise
Thai Red Cross

Ban Nam Khem, village de réfugiés du tsunami, Phuket, Thaïlande /*Tsunami refugee village, Ban Nam Khem, Phuket, Thailand*

L'ancien village de Hat Prapat, rasé par le tsunami, Phuket, Thaïlande */Former village of Hat Prapat, flattened by the tsunami, Phuket, Thailand*

Akpakpa, le quartier des pêcheurs à Cotonou /*Akpakpa, the fishermen's district, Cotonou*

La Banque des pauvres
The Bank of the poor

L'humanité va disparaître dans un suicide généralisé de violence et de misère si elle n'est pas capable de comprendre que chacun a intérêt au bonheur de l'autre. En ce sens, la solidarité n'est pas juste un supplément d'âme, c'est une nécessité urgente et vitale pour l'ensemble des habitants de notre planète. L'objectif d'une civilisation réussie, est de faire en sorte que chaque être humain puisse mettre en œuvre toutes ses potentialités, être respecté et respectable parce que tout ce qu'il aura pu espérer faire sera possible. Instaurer une solidarité véritable dans les relations Nord/Sud, c'est ne pas mettre l'autre en situation de dépendre de vous. C'est la vision de la solidarité qu'exprime PlaNet Finance et c'est ce que permet le microcrédit, à la suite de ce qu'a fait Muhammad Yunus au Bangladesh : donner à tous les êtres humains sur la planète, les hommes, les femmes, et d'abord les femmes parce que ce sont elles qui sont les plus volontaires, les moyens matériels de la réalisation de leurs rêves. Des moyens qui ne soient pas des armes de destruction mais au contraire les armes de la paix.

Humanity will destroy itself in violence and poverty unless it realises that one person's individual interest lies in the other's happiness. Solidarity goes beyond goodwill. It is an urgent and vital necessity for each and every person on our planet. A successful civilisation is one in which each individual can fulfil their potential, can respect and be respected as they reach for their dream. True respect in North/South relations means ensuring the South is not dependent on the North. This is what we strive to achieve at PlaNet Finance, following in the footsteps of what Muhammad Yunus is doing in Bangladesh. It involves giving each and every human, both men and women -particularly women, because they are the most enthusiastic- the material resources to achieve their dreams. Arming them not for war, but for peace.

Jacques Attali
Président de PlaNet Finance
President of PlaNet Finance

Une échoppe d'essence de contrebande, plage de Cotonou /*Cotonou beach, stall selling contraband petrol*

Salon de coiffure, plage de Cotonou /*Hairdressing salon, Cotonou beach*

La plage le long du quartier Akpakpa, Cotonou /*The beach, along Akpakpa district, Cotonou*

Marie-Claude Kintossou

Si tu ne veux rien faire, tu verras tes enfants mourir. Le mari n'a pas que toi. Et il y a même des hommes qui n'ont qu'une seule femme et c'est la femme qui doit tout lui faire, vous voyez un peu ? Si c'est puiser l'eau, c'est elle, aller aux champs, c'est elle. C'est la femme à mille bras, c'est elle qui fait tout !

If you don't want to do anything, your children will die before your very eyes because the husband hasn't just got you to take care of. There are even men who only have one wife and the wife has to do everything for them! Can you imagine?! Who goes to get water from the well? She does. Who goes out to work in the fields? She does. She's a thousand arms woman, she does everything!

Consultante à "Sinaï", organisme de micro-finance
Consultant for 'Sinai', microcredit organism

Dans le bidonville du quartier Akpakpa, Cotonou /*Akpakpa shantytown, Cotonou*

Micro-entrepreneuses au marché Dantokpa, Cotonou /*Micro-entrepreneurs on Dantopka market, Cotonou*

MOSQUITO COILS
MOSQUITO COILS
fresh
ETI
ATPC

Au marché flottant de Ganvié */The floating market, Ganvie*

RAFRAÎCHISSEZ
VOUS
LA VIE,
ICI !
Coca-Cola
enjoy

Solange Aguegue

Nous, les femmes, nous sommes regroupées pour faire des activités ensemble pour lutter contre la pauvreté. Si nous nous associons, l'union peut nous permettre d'évoluer un peu. Vous savez, l'argent c'est le sang qui circule dans les veines… L'argent c'est le sang !

All the women, here, got together to do things together, to fight poverty. When we join our forces, our alliance helps us progress. You know, money is like blood running in your veins… money is blood!

Présidente du Groupement de femmes Mawoudjro, Houinmé
President of Mawoudjro Women Group, Houinmé

Groupement de micro-entrepreneuses à Houinmé /*Group of micro-entrepreneurs at Houinme*

Enfants de Ganvié /*Children in Ganvie*

Didier Djoi

Le micro-crédit concerne aujourd'hui des millions de personnes en Afrique de l'Ouest. Ce n'est pas la solution miracle mais c'est un outil important pour s'extraire de la misère et commencer à avoir de l'espoir dans la vie. L'accompagner de programmes de santé c'est tout simplement prendre en compte qu'on a affaire à des gens vulnérables qui peuvent se retrouver en grande difficulté s'ils tombent malades.

Today, micro-finance affects millions of people in West Africa. It is not the miracle solution but it is an important initiative. Some customers cannot manage the repayments because they get ill. It is very important to come up with a loan programme for vulnerable people which is accompanied by a health programme.

Directeur Exécutif de PlaNet Finance Ouest Afrique
Executive Director, PlaNet Finance West Africa

Fresques murales, Joal /*Wall frescos against HIV and unwanted pregnancies, Joal*

GROSSESSE
INDESIREE

Joal, Sénégal /*Joal, Senegal*

Retour de la pêche à M'Bour /*Bringing in the catch, Mbour*

Didier Djoi

La solidarité est une nécessité économique mais aussi, et peut-être plus encore, une nécessité politique. Parce que tant qu'il y aura des pauvres et des très pauvres sur cette Terre, personne ne sera en sécurité.

Solidarity is not just an economic necessity but perhaps, even more, a political one. Because as long as there are poor and extremely poor people on Earth, none of us will be safe.

Directeur Exécutif de PlaNet Finance Ouest Afrique
Executive Director, PlaNet Finance West Africa

Sur la plage de Saly /*Saly Beach*

La plage de M'Bour, le soir, après la pêche /*Mbour beach, in the evening, after the catch.*

Enfants de Nam Dinh, Vietnam du Nord /*Children in Nam Dinh, Northern Vietnam*

Soeur des oubliés
Sister to the forgotten

Ces hommes, ces femmes, ces enfants, les reconnaissez-vous ? Sans doute pas. Qui sont-ils ?
Des oubliés de la vie, toujours plus nombreux. Oubliés parce que moi, j'ai oublié leur présence, leurs droits et leurs besoins, aussi essentiels que les miens. Sans mon oubli, sans notre oubli, il n'y aurait pas d'oubliés. C'est commode l'oubli. Pénalement irresponsable, innocent, pas coupable. Il n'y aura pas de solidarité durable tant que l'on se permettra d'oublier, tant qu'on laissera sa mémoire de l'autre s'étioler. J'espère en un lendemain où personne n'oublie personne, où chacun sait que sa vie et sa survie dépendent de celle des autres. J'espère en un monde où l'effet papillon ne sera pas une succession de catastrophes, mais un enchaînement dynamique d'initiatives à l'adresse des oubliés.
Ce lendemain moins gris, plus bleu, je l'entrevois dans des actions d'entraide par-delà les frontières, avec des hommes et des femmes de bonne volonté qui refusent d'oublier. Les ailes du papillon frémissent et l'effet produit est rafraîchissant : des enfants, des femmes et des hommes à terre se relèvent d'une longue parenthèse de misère et de souffrances. Ils partagent à leur tour la tâche solidaire qui tient ensemble la communauté humaine.
Gardons allumée la torche qui éclaire notre labyrinthe intérieur, qui guide et allège nos pas ralentis par le si lourd chacun pour soi. Alors, au sortir du tunnel de tous les égoïsmes, nous aurons compris que nous avons survécu à cette longue marche grâce à notre solidarité qui n'est qu'un synonyme de notre humanité.

Do you recognise these men, these women, these children? Probably not. Who are they?
People forgotten by life, in ever greater numbers. Forgotten because I have forgotten their presence, their rights and their needs, which are just as essential as my own. If I were not forgetful and if we were not forgetful, there would be no forgotten people. It's convenient to be forgetful. Not legally responsible, innocent, not guilty. There can be no sustainable solidarity for as long as we allow ourselves to forget, to allow our memory of other people to fade. I hope for a day when no one forgets anyone, when everyone realises that their lives and survival depend on the lives and survival of others. I hope for a world in which the butterfly effect will not mean a succession of disasters, but rather a dynamic movement of initiatives for the forgotten people.
This brighter day, this bluer sky, I can glimpse in the action to help others across frontiers, by men and women of good will who refuse to forget. The butterfly's wings flap and the effect is refreshing: downcast children, women and men arise from their long interlude of poverty and suffering. They can now in turn join in the work of solidarity that binds the human community together.
Let us keep the torch burning that lights up the labyrinth inside us and guides us away from the lazy path of self-interest. As we leave the tunnel of all sorts of selfishness, we shall then understand that we have survived this long march thanks to our solidarity, which is just another word for our humanity.

Soeur Elisabeth Tran Qùynh Giao
Sister Elisabeth Tran Qùynh Giao

Soeur Madeleine
Sister Madeleine

Avant d'être recueillies dans notre centre, la plupart de ces jeunes filles aveugles vivaient dans la rue, à vendre des billets de loterie. Elles sont aveugles soit de naissance, soit par accident ou suite à une maladie. Bien sûr, elles ne voient pas mais, à part ça,ce sont des jeunes filles normales qui doivent apprendre comme les autres. Sinon, elles seront analphabètes et c'est comme être deux fois aveugle !

Before we give them shelter in our centre, most of these blind young girls were living in the streets, selling lottery tickets. These children are blind either from birth, accident, or through illness. Although they can't see, they are just normal girls and so they have to learn. Otherwise, they would be illiterate, and that's like being blind twice!

”

Directrice du centre pour jeunes aveugles, Ho Chi Minh Ville
Director of the young blind people's centre, Ho Chi Minh City

Au centre pour jeunes aveugles d'Ho Chi Minh Ville /*Ho Chi Minh City young blind people's centre*

Deux jeunes sidéens dans le parc Cong Vien Van Hoa, Ho Chi Minh Ville /*Young AIDS victims in Cong Vien Van Hoa park, Ho Chi Minh City*

“

Quand on a ouvert ce centre pour jeunes sidéens, on a accueilli des jeunes gens véritablement en loques. Peut-être en raison de la nouveauté du phénomène, les parents n'arrivent pas à l'accepter. Pour eux, leurs enfants sidéens c'est un déshonneur.

When we started this AIDS centre, the young people we took in were really wrecks. Perhaps because it's a recent phenomenon, the parents can't accept it. For them, a child with AIDS is a dishonour.

”

Soeur Elisabeth /*Sister Elisabeth*

Jour de mousson à Ho Chi Minh Ville /*Ho Chi Minh City during the monsoon season*

La moisson à Yen Hong, Province de Nam Dinh /*Harvest at Yen Hong, Nam Dinh Province*

Soeur Yên /Sister Yen

"Ici, la plupart des gens travaillent dans l'agriculture. Avec deux récoltes par an, ça ne les occupe que pendant deux mois. Le reste de l'année, il n'y a rien à faire et presque tous les garçons et les jeunes filles partent en ville chercher du travail où ils rencontrent beaucoup de problèmes. Depuis que les soeurs ont ouvert ce centre, beaucoup de jeunes reviennent au village. Pour certains d'entre eux, leurs parents sont allés les ramener de la ville de force. Maintenant, ils travaillent ici. Et même si les salaires sont bien plus bas qu'en ville, ils arrivent à s'en sortir en s'appuyant sur la famille.

Here, most people do farming work. With two harvests a year, they are only busy for two months. The rest of the year, there's nothing to do. Nearly all the boys and young girls go into town looking for work where they face a lot of problems. Since the nuns opened this centre, many young people are coming back to the village. For some of them, their parents brought them back by force. Now, they work here. And even if the salaries are much lower than in town, they can manage with help from the family."

Directrice d'un centre d'apprentissage à la couture
Director of a sewing training centre

Centre pour jeunes filles, Province de Ninh Binh, Nord Vietnam /*Centre for young girls, Nam Dinh Province, Northern Vietnam*

Consultation dentaire de groupe, Province de Nam Dinh /*Group dental consultation, Nam Dinh Province*

Than

Enseigner, c'est le métier que je veux faire parce que j'aime les enfants et parce que beaucoup trop d'entre eux ne peuvent pas être scolarisés à cause de leur situation de famille difficile… Et tant pis si le salaire d'une institutrice n'est que de 200 000 dongs (15 Euros) !

I want to teach because I like children. There are too many of them who can't go to school because of their difficult family situation. Too bad if a teacher's salary is only 200,000 dongs (15 euros)!

Une élève de l'Ecole de formation d'institutrices
A student at the teacher training college

Centre pour jeunes filles, Province de Ninh Binh, Nord Vietnam /*Centre for young girls, Nam Dinh Province, Northern Vietnam*

L'école primaire de Yen Hong, Province de Nam Dinh /*Yen Hong primary school, Nam Dinh Province*

Dans le village de Yen Hong, Province de Nam Dinh */Yen Hong village, Nam Dinh Province*

Enfants de San Jose, dans la campagne du Honduras /*Children in San Jose, in the Honduran countryside*

Le droit du plus faible
Help them live!

On dit de l'amour qu'il n'est qu'un vain mot s'il ne s'exprime pas par des actes. Il en va de même pour la solidarité. Les millions de femmes et d'hommes relégués à la périphérie de nos pays riches, empêchés par le poids de la misère de vivre leurs destins de femmes et d'hommes libres, attendent de notre part bien autre chose que de belles et généreuses paroles. En ce sens, nous nous devons envers eux à une solidarité concrète. Concrète comme ce programme «My child matters» de lutte contre le cancer de l'enfant que nous nous efforçons de mettre en place en partenariat avec des pays qui manquent cruellement de moyens, mais certes pas de courage, d'imagination et de volonté. Parce que le cancer est un fléau sans frontières qui frappe aussi les enfants et plus encore ceux des pays pauvres, là où cette maladie n'est pas perçue comme une priorité en regard d'autres immenses défis. Alors par manque d'information, de diagnostic précoce, d'accès aux soins et aux traitements, plus d'un enfant cancéreux sur deux continue de mourir aujourd'hui alors même que les progrès extraordinaires réalisés ces trois dernières décennies devraient permettre d'en sauver la grande majorité. Ces améliorations ont jeté une lumière supplémentaire sur l'immense clivage entre pays riches et pays pauvres. Une telle disparité justifie l'urgence de mener à bien des projets solidaires tels que «My child matters». Les visages rayonnants de ces enfants redonnés à une vie normale, ce sont eux qui confèrent, à mes yeux, tout son sens au mot solidarité.

They say that love is only an empty word if it is not expressed in deeds. The same is true of solidarity. The millions of women and men banished beyond our rich countries, prevented by poverty from living out their destinies as free women and men, expect more of us than fine, generous words. We owe them practical solidarity. Practical, like the 'My Child Matters' programme to fight childhood cancers that we are working to set up in partnership with countries that are cruelly short of resources but not of courage, imagination and willpower. Because cancer is a disease that crosses borders and strikes children too, especially in poor countries where it is not seen as a priority compared with so many other massive challenges. Lack of information, late diagnosis and poor access to care and drugs mean that more than one child in two with cancer still dies, although the extraordinary advances we have made in the last thirty years ought to make it possible to save most of them. These advances cast further light on the yawning gap between rich countries and poor countries. This disparity is the reason for the urgency of conducting solidarity projects like 'My Child Matters'. The beaming faces of children returned to normal life, are for me what gives its true sense to the word solidarity.

Franco Cavalli
Président de l'UICC (Union Internationale Contre le Cancer)
President of UICC (International Union Against Cancer)

Enfants de San Jose, dans la campagne du Honduras /*Children in San Jose, in the Honduran countryside*

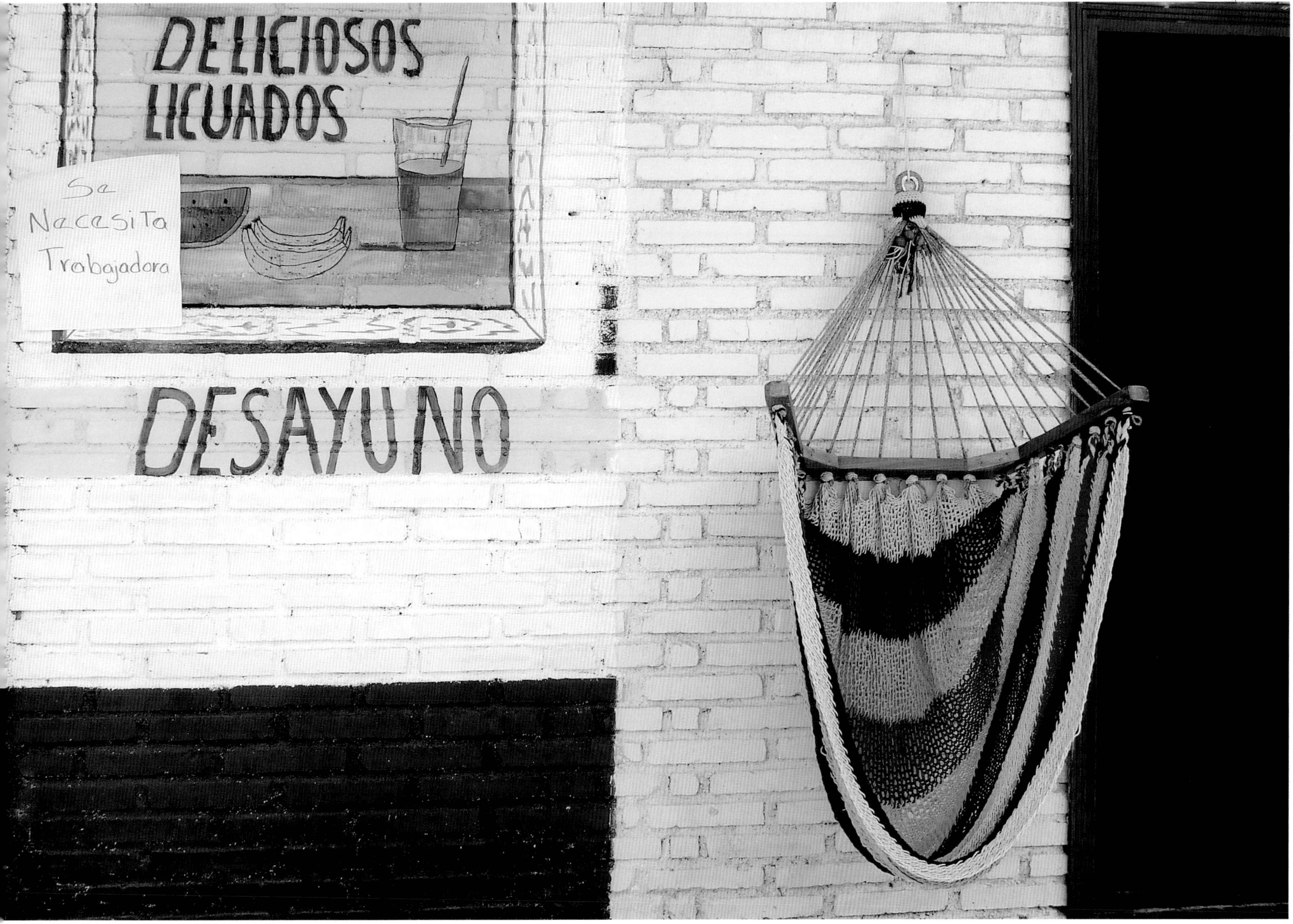
DELICIOSOS
LICUADOS
Se
Necesita
Trabajadora
DESAYUNO

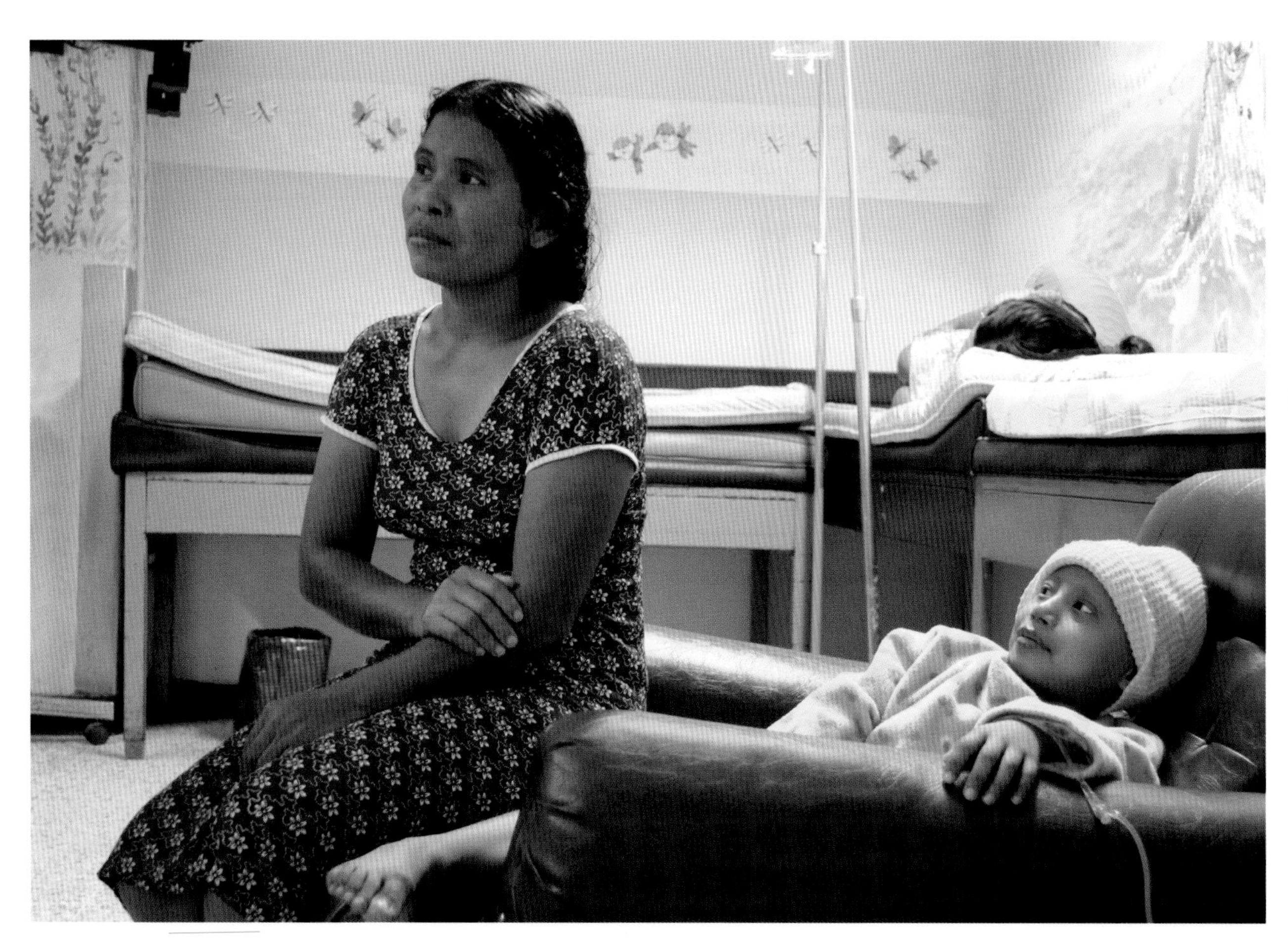

Ligia Fu

“

Ici, au Honduras, on est dans une culture de survie, la prévalence du plus fort sur le plus faible. Mais moi, je considère comme un droit que chaque enfant atteint d'un cancer puisse se voir offrir un traitement et une possibilité de guérison. Un droit que ne devrait pas entraver le fait d'être pauvre !

Here in Honduras we live in a survival culture, where the strongest prevail over the weakest. But I see it as a child's right to receive treatment and the possibility of being cured. Being poor should not eliminate this right.

”

Médecin oncologue à l'hôpital Escuela Materno, Tegucigalpa
Oncologist at Escuela Materno Hospital, Tegucigalpa

Service d'oncologie infantile à l'Hôpital Escuela Materno, Tegucigalpa /*Child oncology department, Escuela Materno Hospital, Tegucigalpa*

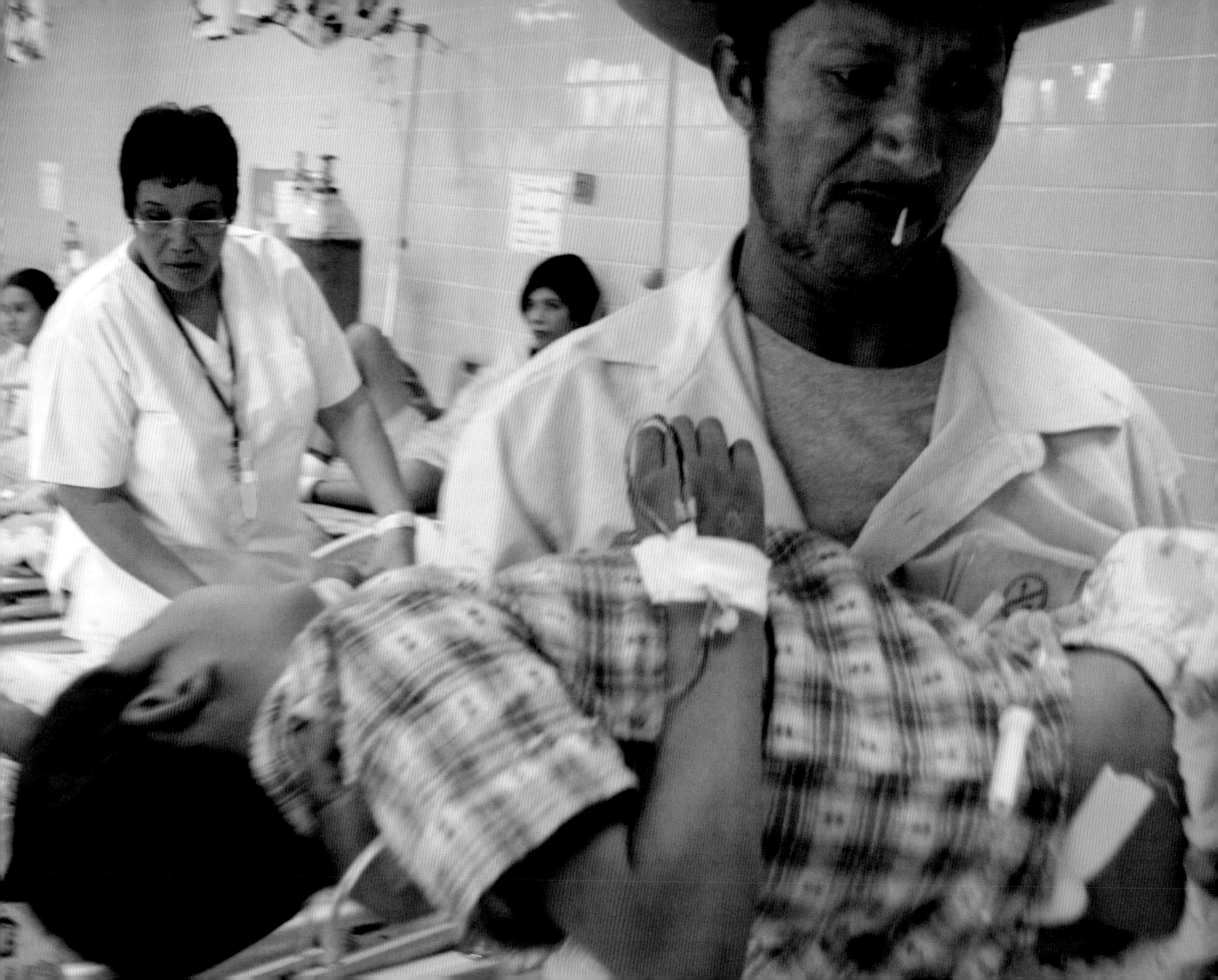

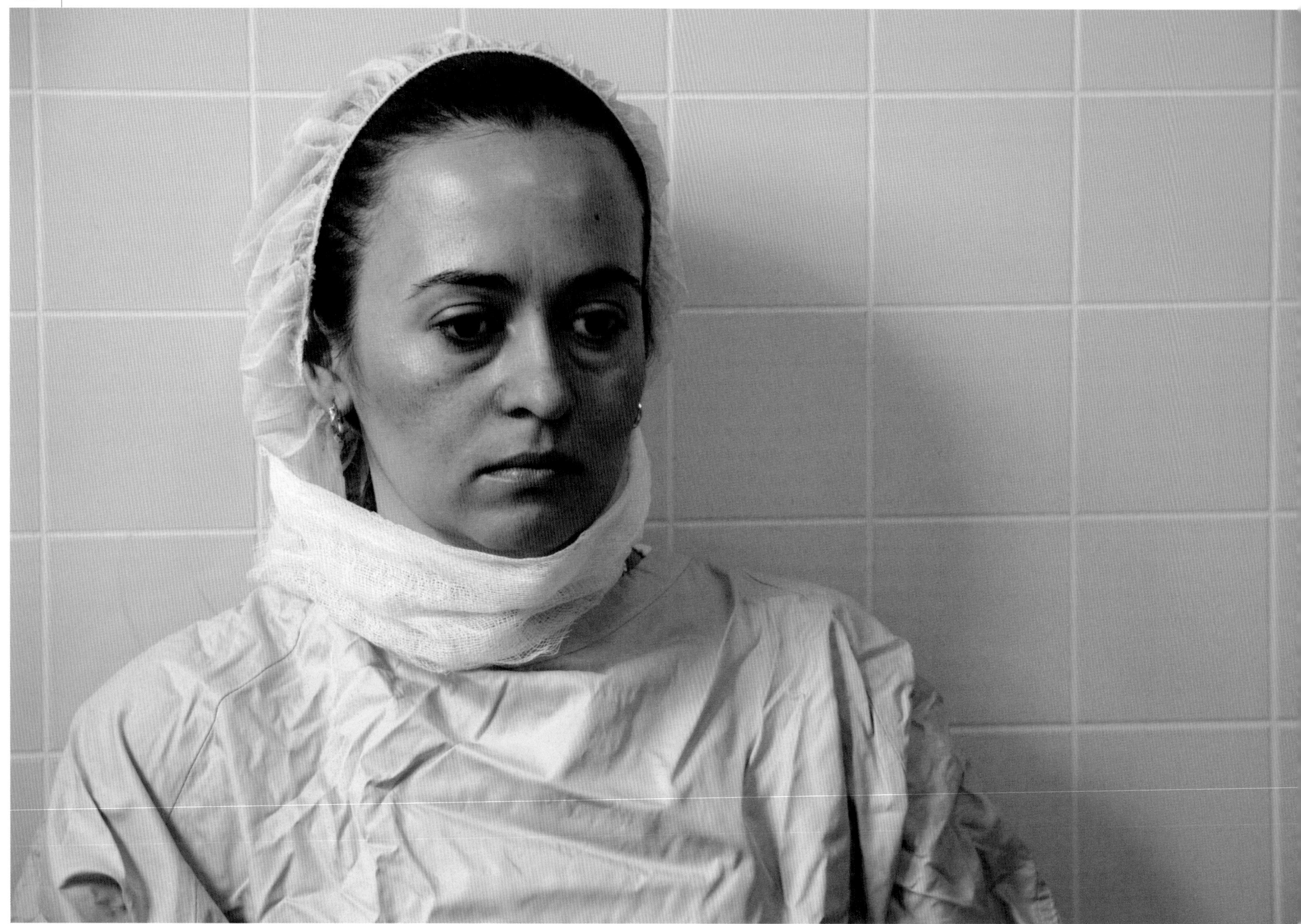

Service d'oncologie infantile à l'Hôpital Escuela Materno, Tegucigalpa /*Child oncology department, Escuela Materno Hospital, Tegucigalpa*

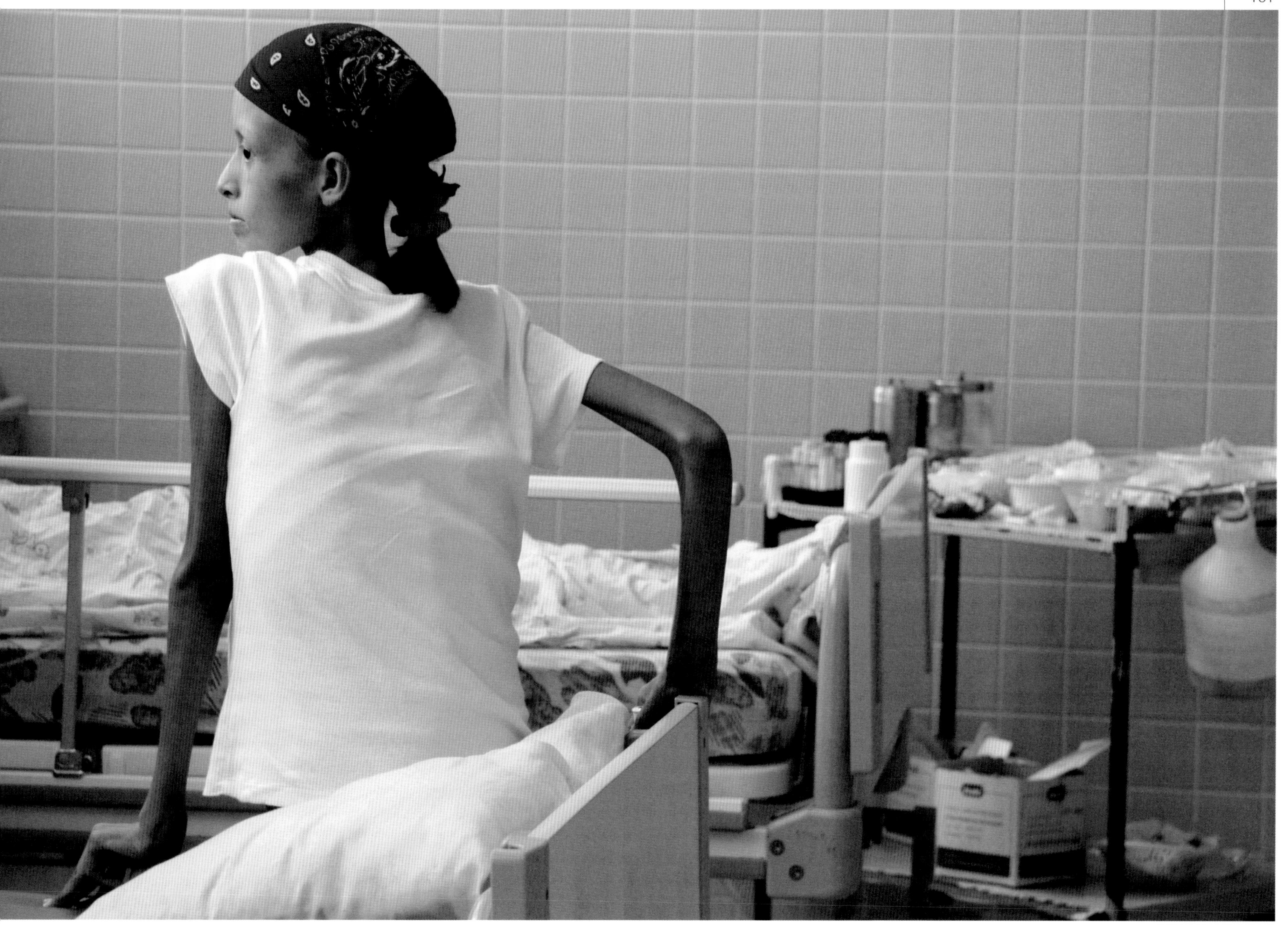

Ligia Fu

Le type de cancer le plus fréquent parmi nos enfants, c'est la leucémie. Chaque semaine, ils doivent faire des trajets, souvent de plusieurs heures, pour recevoir leur traitement. Le père est paysan et doit travailler à ses cultures pendant que la mère s'occupe de sa famille nombreuse. Ils se retrouvent alors devant une sorte de défi impossible. Et il est arrivé qu'après qu'on ait diagnostiqué un enfant et initié son traitement, la famille renonce à le ramener à l'hôpital.
Et on ne le revoit jamais.

The most common type of cancer our children have is leukaemia. Every week they have to travel, often for many hours, to get their treatment. The fathers are peasants and have to tend the crops, while the mothers look after large families. So they're faced with an almost impossible challenge. Sometimes, after diagnosis and once the treatment has begun, the family just gives up trying to get to the hospital.
And we never see the child again.

Médecin oncologue à l'hôpital Escuela Materno, Tegucigalpa
Oncologist at Escuela Materno Hospital, Tegucigalpa

Service d'oncologie infantile à l'Hôpital Escuela Materno, Tegucigalpa /*Child oncology department, Escuela Materno Hospital, Tegucigalpa*

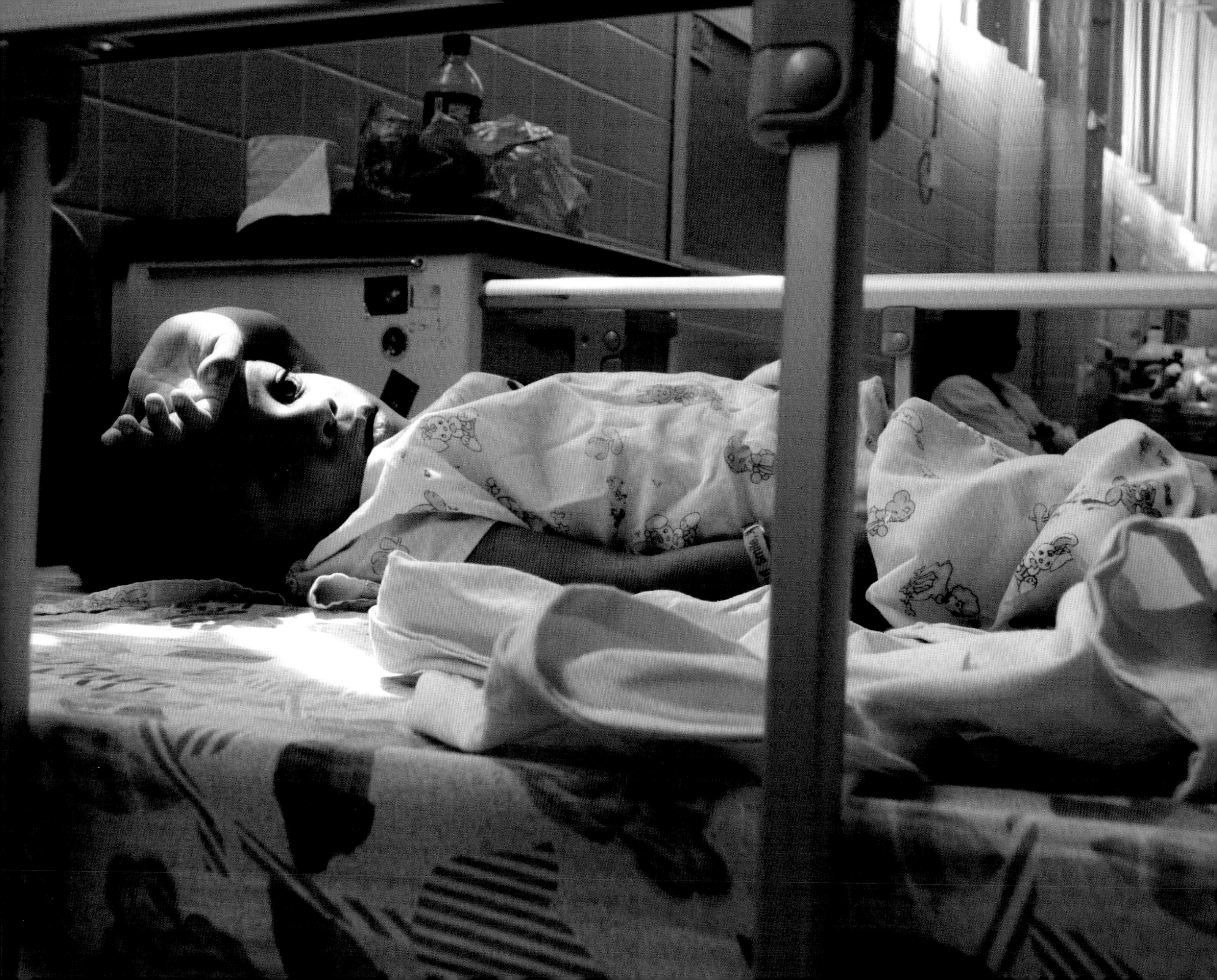

Dans les rues de Tegucigalpa /*In the streets of Tegucigalpa*

Au marché de La Paz, au centre du Honduras /*La Paz market, central Honduras*

Enfants de San Jose, dans la campagne du Honduras /*Children in San Jose, in the Honduran countryside*

Dr Twalib Ngoma

La Tanzanie doit faire face à plein d'enjeux concurrents : la malaria, la tuberculose, le sida et toutes sortes d'infections. On commence juste à s'intéresser aux cancers d'enfant. Chaque année, dans un pays comme le nôtre, 700 enfants développent un lymphome de Burkitt. Avant que démarre notre projet, seulement 70 d'entre eux bénéficiaient d'un bon traitement. Mais il y a une prise de conscience et les choses évoluent. C'est comme ça qu'on touche aujourd'hui 50% des enfants atteints par le lymphome de Burkitt.

A country like Tanzania has a lot of competing priorities. We have malaria, we have TB, HIV-AIDS, all those infections. And we have now begun to focus on children's cancers. In a country like ours, every year we get about 700 children who develop BL. Before the project started, only about 70 got good treatment but we have increasing awareness and things are improving. So, today, we are getting through to about 50% of the children who get Burkitt lymphoma of the jaw. ”

Directeur de l'Ocean Road Cancer Institute, Dar es Salaam
Director of the Ocean Road Cancer Institute, Dar es Salaam

L'Ocean Road Cancer Institute, Dar es Salaam */Ocean Road Cancer Institute, Dar es Salaam*

Au service d'oncologie infantile de l'Ocean Road Cancer Institute, Dar es Salaam /*Child oncology department, Ocean Road Cancer Institute, Dar es Salaam*

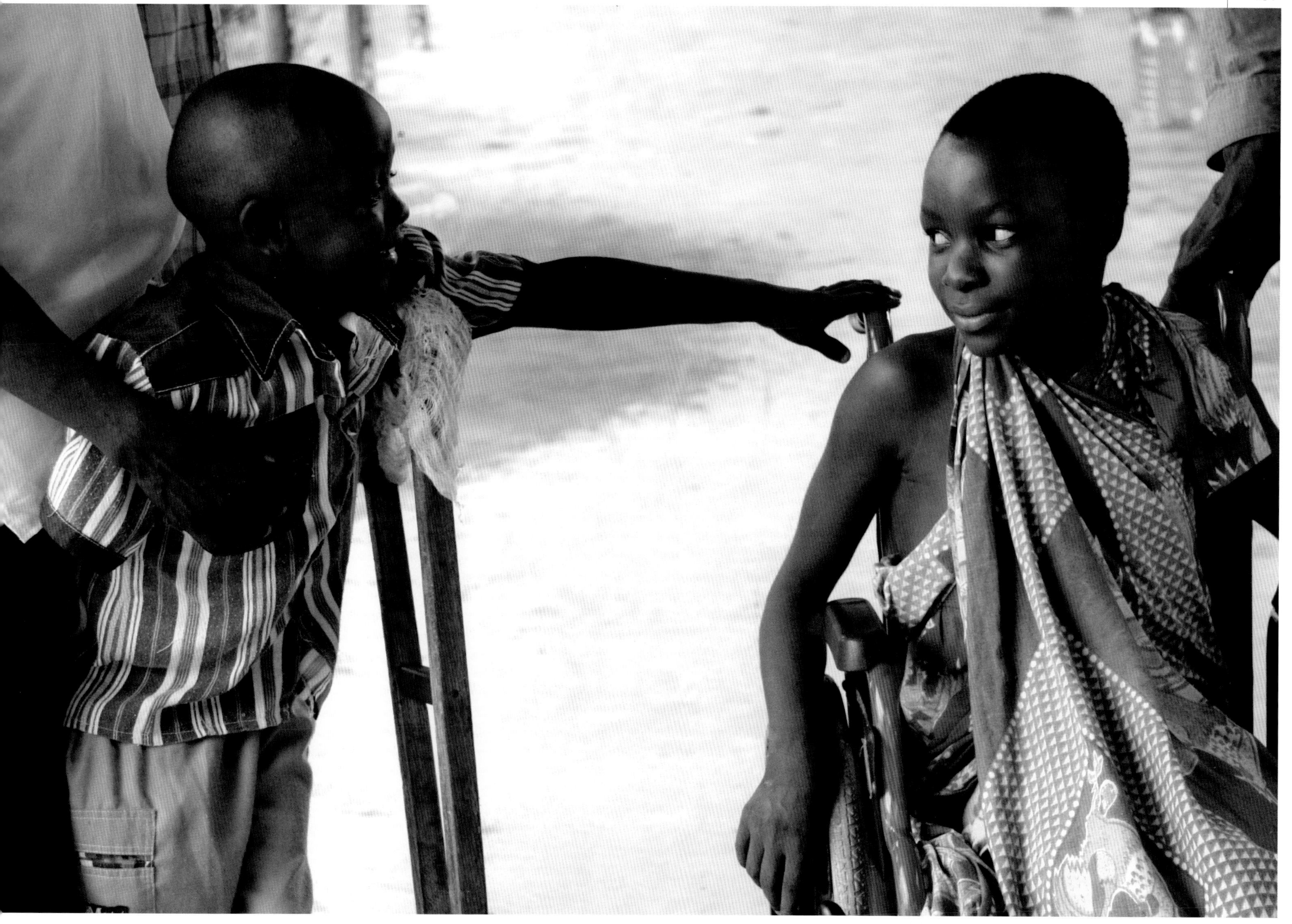

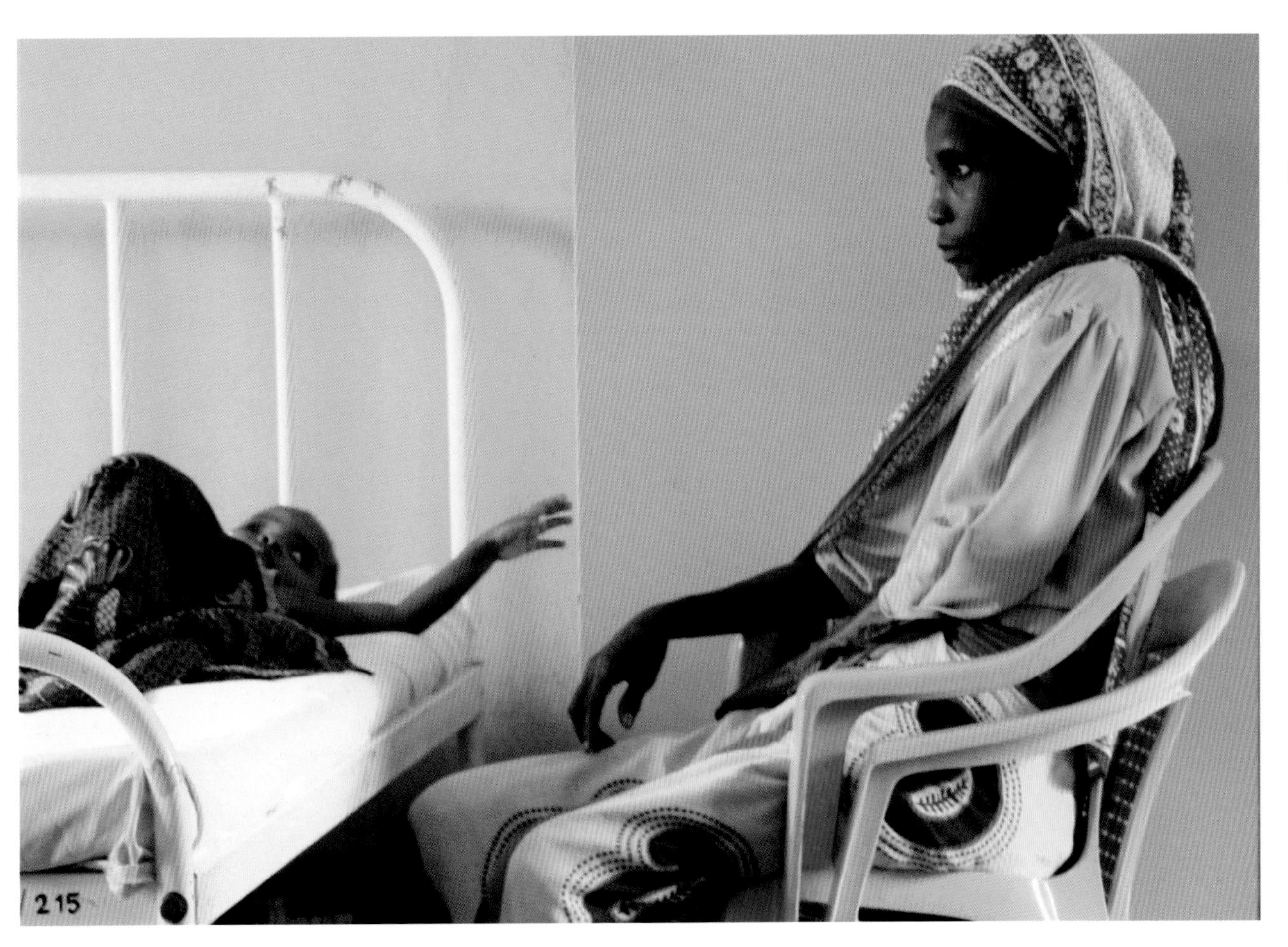

Dr Msemo B. Dawani

"

Pour la mère, c'est l'enfant malade qui, à première vue, importe le plus. Mais en même temps, elle pense très fort à ceux qui sont restés à la maison. Et je peux vous dire que pendant les 6 mois que dure le traitement, elle n'a jamais été en paix. Vous laissez les autres enfants à la maison et vous n'êtes pas sûre que leur père s'en occupe correctement… Nos mères, femmes et épouses jouent un rôle formidable pour nos enfants, je peux vous l'assurer !

For the mother, the sick child seems to be the one who counts the most, but in fact she's also concerned about those who are at home. So, I can tell you that she never has peace when she's here for 6 months. You leave the others at home and you're not sure that the father takes care of them very well. Our mothers, women and wives play a very good role for our children, I can tell you!

"

Médecin oncologue à l'Ocean Road Cancer Institute, Dar es Salaam
Oncologist, Ocean Road Cancer Institute, Dar es Salaam

Au service d'oncologie infantile de l'Ocean Road Cancer Institute, Dar es Salaam /*Child oncology department, Ocean Road Cancer Institute, Dar es Salaam*

Dr Twalib Ngoma

Ici, les gens de la campagne partagent tous cette croyance qu'une telle maladie vient forcément d'un mauvais sort jeté par un voisin qui veut votre malheur. Pour la société, c'est une façon d'expliquer des phénomènes qui la dépassent. On ne fera évoluer les mentalités que par l'éducation et la connaissance.

There is a very popular saying among rural people that when there is a problem like this, a neighbour has cast a spell to make sure you suffer. But this is one way society has of explaining complex things that they don't know. Things will only improve with education, knowledge and removal of ignorance.

”

Directeur de l'Ocean Road Cancer Institute, Dar es Salaam
Director of the Ocean Road Cancer Institute, Dar es Salaam

Jeune fille atteinte de la maladie d'Hodgkin /*Young girl with Hodgkin's disease*

L'attente pour la séance de chimiothérapie /*Waiting for chemotherapy treatment*

Après la séance de chimiothérapie /*After chemotherapy treatment*

Dr Twalib Ngoma

La Tanzanie est un pays pauvre. Plus de 50% de la population vit en-dessous du seuil de pauvreté avec moins d'un dollar par jour. Moins de 500 000 personnes tirent leur revenu d'un emploi fixe sur une population de 36 millions d'habitants. Nos dépenses de santé sont de l'ordre de 10$ par an, par personne. C'est à peine le prix du traitement pour une seule attaque de paludisme !

Tanzania is a poor country. More than half of the people live below the poverty line, on less than one dollar a day. Of the 36 million population, less than half a million have income-earning jobs. Our expenses on health per person are just about $10! And that's just the treatment for one malaria attack.

”

Directeur de l'Ocean Road Cancer Institute, Dar es Salaam
Director of the Ocean Road Cancer Institute, Dar es Salaam

Quartier Hananasif, bidonville de Dar es Salaam /*Hananasif District, shantytown in Dar es Salaam*

MTINDI
KARIBUNI.

Quartier Hananasif, bidonville de Dar es Salaam /*Hananasif District, shantytown in Dar es Salaam*

Sur les docks du port de pêche, Dar es Salaam /*Fish harbour docks, Dar es Salaam*

Après la pêche, Dar es Salaam /*Fishing boats on the beach, Dar es Salaam*

Dr Sherif Abouelnaga

Aiguilles, vomissements et nausées, faiblesse, ne pas se sentir assez bien pour jouer ou pour l'école, perdre ses amis. Trop de douleur. Perte de dignité et d'espoir. Je savais qu'il me fallait agir pour toutes ces vies d'enfants qui souffrent d'un cancer, pour leur donner espoir en une ère nouvelle de technologie et d'humanité.
Le temps est venu, pour tous, d'agir au nom de l'amour, de la paix et de la compassion au lieu de la guerre et la destruction. C'est la vraie raison d'être de notre hôpital, où soins et compassion envers les enfants comptent plus que tout.

Needles, vomiting and nausea, weakness, not being well enough to play, not going to school, losing their friends. Too much pain. Loss of dignity. Loss of hope. I knew that I had to do something to improve the lives of children suffering cancer to give them hope of a new era of technology and humanity. It is time to concentrate on love, peace and compassion for all peoples instead of war and destruction. This is the true significance of our hospital, where caring and compassion for children has superseded everything.

”

Directeur de la Recherche et des Affaires académiques
de l'Hôpital du Cancer de l'Enfant, Egypte
Director Academic Affairs & Research
Children's Cancer Hospital, Egypt

La vallée des Reines, Louxor /*Valley of the Queens, Luxor*

Les faubourgs de Louxor /*The suburbs of Luxor*

Les faubourgs de Louxor /*The suburbs of Luxor*

Gare de Biélorussie, Moscou, 2 h du matin /*Belarus Station, Moscow, 2 am*

Maraude à Moscou
On the streets of Moscow

Changer son regard, son attitude, comprendre, s'ouvrir à l'autre... ces attitudes que l'on demande aux bénévoles du Samusocial résument la pensée qui anime notre action en faveur des grands exclus, victimes du développement des métropoles. Enfants des rues, personnes en difficulté, déboutés du droit d'asile... à Paris, Lima ou Moscou, dans les 15 métropoles dans le monde où nous sommes présents, nous constatons la nécessité de se changer soi-même pour agir sur la fatalité.
En modifiant son regard sur les personnes exclues, on fait sortir de l'uniformité des personnes condamnées à l'anonymat d'un monde sans forme auquel leur statut les condamne.
En changeant son attitude, on redonne à ces personnes souffrant de l'isolement, parce que l'abandon affectif et social les y a confinés, le même rang et le même statut que moi parce qu'il est mon semblable.
Et enfin, en essayant de comprendre l'exclusion, on met en perspective les causes ayant mené à ces situations, et les conséquences qui imposent une approche faite de temps et d'attention, afin d'agir en connaissance de cause.
Et ainsi, redécouvrir l'altérité dans un esprit de fraternité.
Telles sont les valeurs qui guident les professionnels et les bénévoles du Samusocial, qui chaque jour déconstruisent l'enfer de la rue pour reconstruire un avenir meilleur.

Changing the way we look at others, deal with them, understand them and open up to them - the behaviour we ask of the volunteers in Samusocial sums up the thinking behind our action for the most excluded people of all, the victims of rapidly expanding cities. Street children, the disadvantaged, rejected asylum-seekers - whether in Paris, Lima or Moscow, in the fifteen cities round the world where we work, we see the need to change ourselves if we are to fight against fatalism.
By looking differently at the excluded, we help these people out of the uniformity of those condemned to anonymity in the shapeless world to which their status condemns them.
By changing our attitude, we restore to people who are lonely as a result of the loss of friendship and social support the same standing as ourselves and the same status because they are our fellow human beings.
And by trying to understand social exclusion we adopt a broader view of the causes that have led to these situations and the consequences that require considerable time and attention if we are to do the right thing.
In this way we rediscover the other in a spirit of fraternity.
These are the values that guide the professionals and volunteers in Samusocial, taking apart the hell of the street day by day so as to build a better future.

Xavier Emmanuelli
Président Fondateur du Samusocial
President-Founder of Samusocial

Devant l'estafette du Samusocial à la gare de Koursk, Moscou /*In front of the Samusocial van, Kursk Station, Moscow*

Irina, 15 ans, à la gare de Koursk, Moscou /*Irina, 15, Kursk Station, Moscow*

Devant l'estafette du Samusocial à la gare de Biélorussie, Moscou /*In front of the Samusocial van, Belarus Station, Moscow*

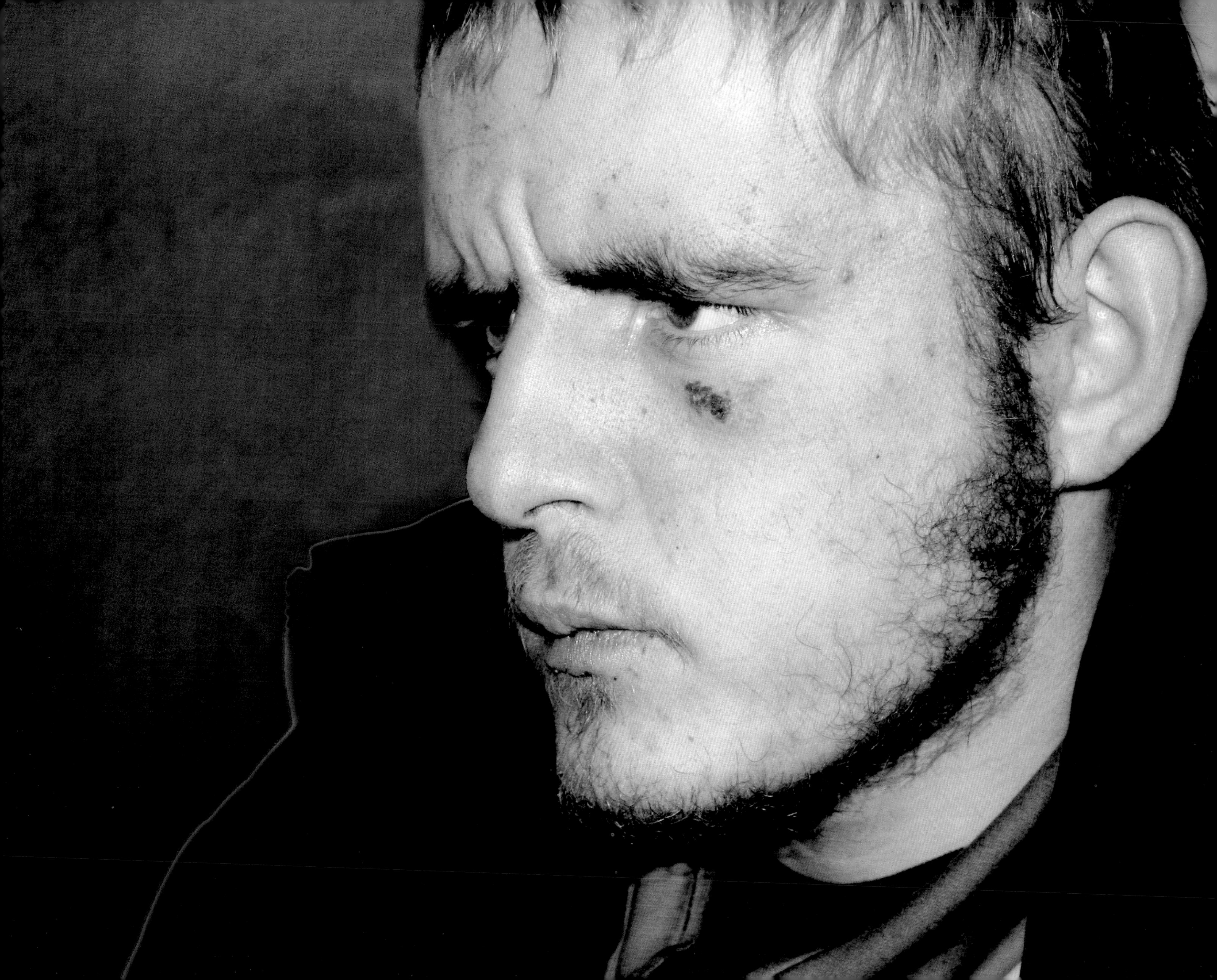

Françoise Horowicz

Les enfants des rues sont très en demande du contact qu'on leur propose. Comme s'ils en devinaient l'importance pour se construire, construire en tant qu'enfant, en temps qu'être humain et personne dans la société. C'est ce qu'on peut leur offrir de plus fort parce que de ce regard porté sur eux, de cette approche désintéressée tout le reste va découler. Si, un jour, un enfant des rues a envie ou pense qu'il va pouvoir réussir une autre façon de vivre, c'est là-dessus qu'il va s'appuyer.

Street children crave the contact we offer them. As if they sensed the importance of that contact for building themselves as children, as human beings and members of society. That is the greatest thing we can offer them, because our way of looking at them, our impartial approach is the start for all the rest. Once a street child feels the desire one day, or believes that they can make a success of a different way of living, then they will take support from that feeling.

Présidente du Samusocial Moskva
President of Samusocial Moskva

Dans l'estafette du Samusocial /*Inside the Samusocial van*

Beaucoup de gens que je rencontre à travers le monde s'étonnent de ma démarche parce qu'ils sont incapables de considérer les plus démunis comme des partenaires possibles. Ils les voient juste comme des individus dépendants. C'est leur dénier leur dignité et refuser de voir de quoi ils sont capables ! Le problème c'est qu'en agissant ainsi, vous ne traitez plus l'autre comme un être humain et vous refusez de reconnaître la pauvreté comme quelque chose qui vous affecte en tant qu'être humain. Vous êtes simplement en train de déconnecter tout ça de votre esprit. Mais la pauvreté n'a pas été créée par les pauvres ! Elle résulte du système que, nous tous, avons mis en place. Si on ne change rien à nos politiques sociales et économiques, il n'y a aucune chance de mettre fin à la pauvreté. La balle est dans notre camp, pas dans le leur ! Il faut juste donner la possibilité du premier pas, «le premier dollar», celui qui va permettre d'avancer dans la vie. La pauvreté sera éliminée par ceux-là mêmes qui la subissent ! Tout le monde a ce potentiel en lui. Et je continue à dire que nous avons la possibilité de créer un monde sans pauvreté, où chacun se sentira meilleur d'être utile à l'autre. Lutter en ce sens n'est pas seulement une question d'économie, c'est aussi la question de mon entité en tant qu'homme sur cette planète, la question du sens à donner à ma vie. C'est cela mon message…

Muhammad Yunus

Prix Nobel de la Paix 2006

Many people I meet across the world are surprised, because they don't see poor people as partners; they see them as dependants. That is to deny their dignity and refuse to see what they are capable of. The problem is that you're not treating other people as human beings and you don't recognise the poverty as something that affects you as a human being, so you're simply trying to cut it off from your mind! Poverty is not created by the poor! Poverty is created by the system that we have created. Unless we change our social and economic policies, we cannot change poverty. The ball is in our court, not in their court! The problem is to be able to take the first step, provide the 'first dollar' to get people going. Poverty has to be eliminated by the people themselves! Everyone has that potential within them. I keep saying that we have the possibility of creating a world without poverty, so that as human being we feel better for being useful to each other. This is not simply a question of economics. It's also a question of my entity as a human being, my purpose in life, what I would like to be. This is my message.

Muhammad Yunus

Nobel Peace Prize for 2006

TB Free
TB Free

20 millions de personnes dans le monde souffrent aujourd'hui de la tuberculose. Avec plus de 500 000 malades, l'Afrique du Sud figure en première ligne des pays frappés par cette maladie. Fruit d'un partenariat entre la Fondation Nelson Mandela, le Ministère de la Santé sud-africain et sanofi-aventis, le projet TB Free vise à répondre concrètement au fléau de la tuberculose en Afrique du Sud. Il rassemble des milliers d'acteurs de santé bénévoles, les DOTS supporters, chargés de l'observation directe du traitement auprès des patients.

Today, 20 million people worldwide suffer from tuberculosis. With over half a million people who have contracted TB, South Africa is at the top of list. The TB Free programme was established in partnership with the Nelson Mandela Foundation, the South African health ministry and sanofi-aventis as a direct response to the scourge of tuberculosis in South Africa. Thousands of volunteers, known as DOTS Supporters counsel tuberculosis patients and support their compliance with "Directly Observed Therapy, Shortcourse".

Jouer en paix
Playing in peace

En prenant pour cibles tout ce que le pays regroupait d'intellectuels, les Khmers rouges avaient totalement ravagé le système éducatif du Cambodge. L'ONG Puthi Komar Organisation, soutient 13 centres d'animation affiliés à des établissement scolaires et répartis dans trois districts de la province de Battambang, la deuxième ville du pays. En alternance avec la classe, 3000 enfants et adolescents y apprennent à pratiquer le jeu sous toutes ses formes parce qu'ici apprendre à jouer c'est réapprendre à vivre.

By especially targeting the intellectuals, the Khmers Rouges totally devastated the education system in Cambodia. The NGO Puthi Komar supports 13 activity centres affiliated to schools spread over three districts in the province of Battambang, the country's second biggest city. Alternating with school classes, 3000 children and adolescents play games in every shape and form, because, here, learning to play is relearning how to live.

Une maladie négligée
A neglected disease

Endémique dans 88 pays et alors même qu'elle affecte près de 2 millions de nouveaux individus chaque année, la leishmaniose figure au rang des pathologies négligées. Transmise par un moustique minuscule, le phlébotome, la leishmaniose sévit sous ses formes cutanée, muco-cutanée et viscérale. Le centre Aggeu Magalhaes de Recife a mis en place un programme de recherche, de prévention et de soins qui concerne 2800 familles dans les zones rurales du Pernambouc, au Nord-Est du Brésil.

Although leishmaniasis is endemic in 88 countries, with nearly 2 million new cases each year, it still ranks among the neglected diseases. It is transmitted by the tiny phlebotomine sandfly, and presents cutaneous, mucocutaneous and visceral forms. The Aggeu Magalhães Centre in Recife has set up a prevention and research programme covering 2,800 families living in rural areas of Pernambuco, in north-east Brazil.

Sur les routes du Tsunami
In the wake of the tsunami

Le 26 décembre 2004 au matin, un terrible tsunami déroule sa vague meurtrière sur les côtes de l'Asie du Sud-Est. Près de 300 000 personnes vont périr en quelques secondes, des millions de sans-abri se retrouvent démunis de tout. Une solidarité mondiale, relayée par des centaines d'ONG, prend très vite des proportions à la mesure du désastre. Quelques mois plus tard, nous avons suivi les routes du tsunami pour savoir ce qu'il en était du nouveau quotidien de ces hommes, ces femmes et ces enfants à qui un élan spontané du cœur a voulu que beaucoup d'entre nous tendent la main.

On the morning of 26 December 2004, a huge tsunami sent deadly waves of water crashing onto the coastline of South-East Asia. Nearly 300,000 people were killed in just a few seconds and millions left homeless and totally destitute. Immediately, a worldwide movement of solidarity began, supported by hundreds of NGOs. A few months later, we set out in the wake of the tsunami to discover the new daily reality of these men, women and children who had touched our hearts and made us want to reach out to them.

La banque des pauvres
The bank of the Poor

Le Bénin figure parmi les états les plus pauvres du monde avec un salaire moyen d'1 dollar par jour. Cotonou, la capitale économique, concentre l'essentiel de l'activité du pays qui relève aux 3/4 d'une économie informelle, sous la forme d'un marché noir, alimenté par le grand voisin nigérian. Dans ce contexte de survie, le Bénin a vu fleurir, depuis une vingtaine d'années, des centaines d'organismes de micro-crédit qui représentent, pour beaucoup, l'unique espoir de sortir du cycle infernal de la pauvreté, le seul accès à une vie meilleure.

Benin is one of the poorest countries in the world, with an average income of one dollar per day. Cotonou, the economic capital, is the centre of most of the country's business, three-quarters of which is an unofficial economy in the form of a black market trading with neighbouring Nigeria. In the last twenty years, hundreds of micro-finance institutions have been founded in this subsistence society. For many people, they are the only hope of escaping the vicious circle of poverty, their only access to a better life.

Soeur des Oubliés
Sister to the forgotten

Aujourd'hui, le Vietnam fait peau neuve avec l'ambition de rejoindre le club des «dragons de l'Asie». Mais, en imposant ses lois, l'économie de marché a généré nombre d'exclus. Une sœur franciscaine, Sœur Elisabeth, a décidé que sa tâche était de donner une chance à ces oubliés, personnes âgées sans assistance, jeunes atteints du SIDA, enfants des rues, jeunes filles aveugles ou petits paysans des campagnes. Santé, éducation, infrastructures, elle est sur tous les fronts.

Today, Vietnam is making the changes needed to rapidly join the club of Asian Dragons. But the rules of the market economy have left some people behind. A Franciscan nun, Sister Elisabeth, decided that her task was to give a chance to those who are "forgotten": old people without support, young AIDS sufferers, street children, blind girls and small farmers from the countryside. Health, education, and infrastructure - she fights on every front.

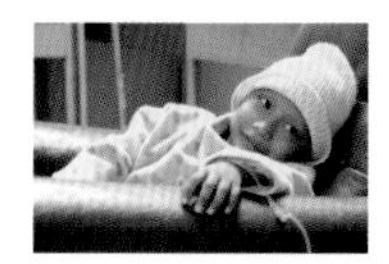

Le droit du plus faible
Help them live!

Alors que près de 80 % des enfants atteints d'un cancer peuvent être guéris dans les pays développés, ce taux de guérison tombe à moins de 20 % dans les pays les plus pauvres où l'information, le diagnostic précoce et l'accès aux soins sont difficiles. Dans ces régions où la majeure partie des habitants vivent sous le seuil de pauvreté, exposés à toutes sortes de maladies infectieuses ou endémiques, le cancer de l'enfant ne figure pas parmi les priorités de santé publique. Au Honduras, en Tanzanie ou en Egypte, des médecins se battent pour que, face à ce fléau, les enfants de leur pays aient droit, eux aussi, aux meilleures chances de survie.

Whereas in developed countries almost 80% of children with cancer can be cured, the recovery rate is as low as 20% in the poorest countries, where it is much more difficult to provide information, early diagnosis and access to treatment. In these areas where most people live below the poverty line, exposed to all kinds of infectious or endemic diseases, childhood cancer is not a major public health concern. In Honduras, Tanzania and Egypt, oncologists are fighting back, so that children in their countries too can have the best chance of survival.

Maraude à Moscou
On the streets of Moscow

Le Samusocial se porte depuis de nombreuses années au secours des enfants et des personnes en très grande exclusion dans les grandes villes, afin de leur offrir réconfort et assistance. A Moscou, depuis Septembre 2006, les équipes du Samuscial concentrent leur action sur les enfants et les adolescents des rues. Certains ont fui leur foyer, d'autres se sauvent des institutions surpeuplées et en manque d'effectifs. Une vaste majorité d'entre eux appartiennent à des familles migrantes venues des Républiques lointaines ou des pays voisins.

For many years now, Samusocial has been reaching out to children and seriously isolated people in major cities, providing comfort and assistance. Since September 2006, Samusocial teams in Moscow have focused on street children and teenagers. Some have run away from home, others from overcrowded understaffed institutions. The overwhelming majority come from migrant families from Russia's distant republics or neighbouring countries..

Avec le soutien du Mécénat sanofi-aventis
With the support of sanofi-aventis Humanitarian Sponsorship

Haizia - Arruntz 64480 Ustaritz - France
www.editionsharfang.fr

Crédits photos additionnelles /*Additional photo credits*
p.9 : ©Louise Gubb/CORBIS SABA, p.27/p.181 : ©Marthe Lemelle, p.101 : ©Frédéric Raevens, p.145 : ©Franck Parisot

Imprimé en Espagne /*Printed in Spain* par/*by* GRAFILUR - 48970 BASAURI
Dépôt légal /*Legal registration:* Février 2008 /*February 2008*

ISBN 978-2-913721-09-8